LA PENSÉE CONSTRUCTIVE ET LE BON SENS

Couverture
- Illustration:
  MICHEL BÉRARD
- Maquette:
  MICHEL BÉRARD

DISTRIBUTEURS EXCLUSIFS:

- Pour le Canada:
  AGENCE DE DISTRIBUTION POPULAIRE INC.*
  955, rue Amherst, Montréal H2L 3K4 (tél.: 514-523-1182)
  *Filiale de Sogides Ltée

- Pour la France et l'Afrique:
  INTER-FORUM
  13, rue de la Glacière, 75013 Paris (tél.: 570-1180)

- Pour la Belgique, la Suisse, le Portugal, les pays de l'Est:
  S.A. VANDER
  Avenue des Volontaires 321, 1150 Bruxelles (tél.: 02-762-0662)

Dr Raymond Vincent

LA PENSÉE CONSTRUCTIVE ET LE BON SENS

 le jour, éditeur

© 1981 LE JOUR, ÉDITEUR,
DIVISION DE SOGIDES LTÉE

Bibliothèque nationale du Québec
Dépôt légal — 1er trimestre 1981

ISBN 2-89044-062-1

*Pour la confiance qu'ils m'ont témoignée
tout au cours de ma vie,
je dédie cet ouvrage à ma mère, Jacqueline,
à mon père, Roger.*

Introduction

Le Dr Raymond Vincent, un philosophe aux visions profondes, est connu et admiré pour ses conférences sur le fonctionnement de la pensée humaine. Son livre révèle les principes de la vie, fondés sur la pensée constructive.

Une personne est une pensée ; un homme, une femme, sont ce qu'ils pensent heure par heure. Et chaque pensée qui surgit veut se manifester au grand jour. C'est pourquoi la pensée constructive est la clé de la vie. Car... dis-moi ce que tu penses et je te dirai qui tu es.

Les pensées sont des réalités, et ce livre du Dr Vincent vous enseignera à vous servir de la grande loi de la pensée constructive pour vous procurer santé, richesse, paix et harmonie. Il est impossible de penser de façon positive et d'obtenir des résultats négatifs.

La pensée constructive alliée au bon sens est la source du succès, de la prospérité et du bonheur. La lecture de ce livre donnera un nouvel élan à votre vie, vous permettra d'aller plus loin, de monter plus haut, vers des horizons éclaircis.

Dr Joseph Murphy
Laguna Hills, Californie
24 septembre 1979

Chapitre I

Plus qu'une technique, un mode de vie

La pensée constructive et le bon sens

Ce livre est l'aboutissement de quinze années d'études, de recherches et de travail. Il est issu de centaines de cours donnés à des gens de tous les milieux sociaux, politiques et religieux. Conçu comme un outil, il est un révélateur précieux de la puissance qui est en chacun de nous. Il se base sur le « gros bon sens », et sur des principes et des lois universels. *La pensée constructive et le bon sens* peut révolutionner votre vie en vous aidant à reprendre possession des richesses qui sont en vous.

Une journée type

Vous vous éveillez à contrecœur, de mauvaise humeur, fatigué. Vous n'avez pas l'impression que votre sommeil a été réparateur. En avalant votre café, vous parcourez les nouvelles : guerres, famines, augmentations d'impôts, violence. Vous partez travailler, cela ne vous réjouit guère. Vous avez hâte que cette journée s'achève, et puis il y a les traites à payer, et cet ulcère qui commence à se manifester...

Vous sentez bien, au fond de vous-même, que vous passez à côté de quelque chose, que vous êtes constamment frustré, dérouté, vaincu. Et vous accusez les circonstances, la situation, le patron, la famille, les embouteillages. Ce n'est pas vous, ce sont les autres !

Que cherchons-nous ?

Nous sommes nés d'un principe actif, de la rencontre d'un ovule et d'un spermatozoïde, nous faisons partie de la nature, du cosmos. Nous sommes perfectibles. L'être humain cherche toute sa vie à s'améliorer. Les apprentissages sont lents et multiples, ils nous forment et nous font évoluer. Ce que je désire, c'est une amélioration dans les quatre domaines principaux qui sont : le bonheur, la santé, l'amour et l'abondance. Ce n'est pas là une utopie, c'est un désir sain et normal. J'ai bien les deux pieds sur terre, je ne suis pas un illuminé. Pratiquer la pensée constructive, ce n'est pas faire disparaître les ennuis d'un coup de baguette magique. Comme le souligne le docteur Murphy, âgé maintenant de 80 ans : « Des ennuis, j'en ai chaque jour, mais ce qui me différencie de la majorité des gens, c'est que j'ai la conviction profonde que je peux m'en sortir. » Vous qui êtes las de vivre une existence monotone et sans attrait, vous qui avez fait le bilan des plus et des moins, vous vous demandez sûrement comment une telle transformation est possible.

Il faut acquérir un nouvel état d'esprit

Prenez le temps de vous transformer, en sachant bien que vous êtes l'artisan de votre vie, que vous êtes né libre, pour croître et prospérer. Acquérez ce nouvel état d'esprit. Qui dit vie dit changement perpétuel, mouvement, évolution. Ce qui semblait impensable il y a 50 ans est aujourd'hui partie intégrante de notre quotidien. Tout est relatif ! Que diraient nos arrière-grands-parents devant un poste de radio, de télévision, quelles seraient leurs réactions en voyant un avion, un satellite, une fusée ? Laissons-nous le temps de changer, car nous avons tous, à notre niveau, des atouts. Il s'agit de bâtir une foi constructive, par accumulation d'énergie, qui grandit au fur et à mesure que nous la mettons à l'épreuve. Il s'agit de savoir ce qu'on veut, d'apprendre à s'aimer, à se respecter, à s'écouter. Il s'agit de faire un grand ménage, de faire la guerre aux phrases comme « je ne suis pas capable », « je n'y arriverai jamais », « ce n'est pas pour moi », « je suis trop vieux », « je suis trop jeune », « je n'aurai jamais d'argent », « personne ne m'aime », etc., ad nauseam ! Comment les autres peuvent-ils réagir à de telles attitudes, si vous-même ne vous laissez aucune chance ?

Le mécanisme de la pensée constructive

Commençons par énoncer un principe fondamental, à savoir que toute pensée est matière. Toute pensée est énergie active. La pensée constructive renforce un état latent de bien-être, de santé, de bonheur et d'amour. Elle stimule et réveille l'inné en nous. Il s'agit de modifier notre état de pensée face à notre imagination ; croire, par exemple, que certains rêves, certains désirs ont le pouvoir de se réaliser. Si je désire très fort m'acheter une maison, mais que je n'ai pas l'argent nécessaire, je commencerai étape par étape. J'achèterai tout d'abord le plan de cette maison, si je veux la faire bâtir ; ensuite, avec le temps, j'achèterai le terrain, et enfin j'achèterai la maison. S'il s'agit d'une maison toute faite, je prendrai une photo, ou bien je photographierai le terrain ; en d'autres termes, je poserai des actes de foi en jouant le jeu de la foi, qui est aussi le jeu de la vie. Je commencerai à mon échelle, avec mes modestes moyens, je ferai « comme si », je vivrai le scénario de A à Z, dans mon imagination. Même chose pour un voyage. Je commencerai par m'acheter une valise, je me ferai faire un passeport, je prendrai des renseignements dans des agences, je ferai exactement comme si je partais. Mais, direz-vous, ce serait trop facile, par quel miracle cela est-il possible ?

Mon ami le subconscient

Notre esprit se compose de deux champs de conscience. Le conscient, d'une part, qui choisit, qui juge, qui prend des décisions ; d'autre part le subconscient qui, lui, n'a aucun jugement, aucun a priori, qui peut être comparé à une plaque sensible, sur laquelle viennent s'imprimer toutes nos pensées, positives ou négatives. C'est une sorte d'ordinateur, d'une puissance infinie. Il fonctionne 24 heures sur 24, spécialement pendant notre sommeil. Il emmagasine toutes nos pensées, sans discernement, on peut le comparer à une terre qui accepte toutes les semences. Il est crucial de bien comprendre l'interaction qui existe entre le conscient et le subconscient. Le conscient, c'est le moi qui décide, c'est le capitaine du navire. Je donne des ordres, j'émets des pensées qui vont directement s'enregistrer dans le subconscient.

Toute pensée est matière, toute pensée est active. Chaque fois que j'énonce une idée, mon subconscient la fait sienne, que cette idée soit vraie ou fausse, positive ou négative. Le subconscient accueille toutes les suggestions. Prenons l'exemple d'une personne qui se cherche du travail. Elle entretient dans son esprit l'idée qu'elle ne réussira jamais, qu'elle n'est pas très intéressante, qu'il faudrait bien un miracle pour qu'on la choisisse, elle, etc. Que pensez-vous qu'il se passe ? Cette personne est tout bonnement en train de se saborder ! Elle émet une foule de pensées parasites qui s'entassent dans son subconscient. Celui-ci répondra docilement aux injonctions, aux suggestions, et notre chômeur restera dans son état, qui ne fera qu'empirer.

Notre subconscient nous prend « à la lettre ». Si j'entretiens des pensées positives, si je le nourris littéralement de suggestions constructives, que je pense réellement, alors, il me rendra ce que je lui demande, c'est un peu l'effet du boomerang. Le négatif attire le négatif, et le positif attire le positif.

Je suis ce que je pense être, je deviens ce que je pense devenir

Emerson disait que l'homme est la somme de ses expériences et de ses habitudes. Je dois apprendre à me connaître moi-même, je dois me voir mentalement tel que je suis. Qu'est-ce que je veux changer en moi ? Mon apparence physique ? Mon caractère ? Mes réactions ? Comment vais-je m'y prendre ?

Je dois commencer par changer l'image mentale que j'ai de moi-même. Je dois vivre émotivement et mentalement ce que je veux devenir physiquement. Prenons l'exemple d'une personne qui est trop grasse et qui décide de maigrir. Elle commencera par s'imaginer mince, elle entendra les gens de son entourage la complimenter, elle se créera un véritable scénario mental, en s'autosuggestionnant. Le subconscient accumule les pensées positives, et rend possible la transformation désirée. La nouvelle image mentale que j'ai de moi va devenir, progressivement, à force de répétitions et de suggestions, ma nouvelle forme physique.

Pourquoi les échecs ?

Nous reflétons tous les échecs de nos parents et de la société. Nous sommes mentalement prédisposés à l'échec par notre conditionnement. Lorsque je comprends bien que ma vie m'appartient, que j'ai le pouvoir de me transformer, en remplaçant les mauvaises attitudes mentales par des pensées positives, je ne peux pas échouer.

Il faut bien dire que nous ne sommes guère patients. Nous voulons tout et tout de suite, nous vivons à l'ère de « l'instant food », nous manquons de persévérance. On n'a rien sans rien. Je ne peux rien bâtir sans briques, sans outils, sans place. Or, ce phénomène de la durée et du travail est une loi universelle d'apprentissage. On ne demande pas à un nouveau-né de parler, de marcher, de raisonner et de travailler !

Prenons l'exemple d'un agriculteur qui ensemence son jardin. Que va-t-il faire ? Il va préparer sa terre, il va semer ses graines, soigneusement, en les espaçant comme il convient, il va les arroser chaque jour, mettre de l'engrais, veiller à ce que ni les insectes ni des maladies ne les détruisent. Il ira même jusqu'à placer un épouvantail pour assurer une protection maximum. Cet homme sait qu'il faut de la patience, du travail, de l'amour et beaucoup de soins pour que ses semences poussent et fructifient. Mettons, nous aussi, toutes les chances de notre côté. Soyons convaincus de ce que nous désirons, pensons-le profondément, et persévérons toujours. Notre subconscient est noyé de pensées négatives ; ensemençons-le de pensées constructives et bientôt, les désirs, les souhaits, les rêves deviendront réalité, car nous serons devenus ces rêves et ces désirs. On peut comparer cette transformation à un grand nettoyage. Je dois verser des pensées constructives dans un baril imaginaire, rempli d'eau sale. Les pensées positives remplaceront alors les pensées négatives, à condition que leur débit soit abondant et régulier.

En résumé, qu'il s'agisse de cours de yoga, d'agriculture, de décision concernant notre comportement, de toute forme d'apprentissage et de changement, nous devons nous laisser le temps, et comprendre que tout arrive pour qui sait attendre. La pensée constructive est aussi active que la pensée négative, et votre subconscient vous rendra exactement ce que vous lui avez demandé. Si je ne m'occupe pas de mon subconscient, de mon jardin, la nature, la vie, les voisins s'en occuperont ! Rome ne s'est pas faite en un jour, et le temps est notre allié. Tout effort initial semble ingrat, car ce qui est semé est invisible.

L'« excusite » *fail*

Les gens qui échouent ont toujours des arguments de victime. Ils souffrent de ce que l'on peut appeler « l'excusite ». Rien n'est jamais de leur faute, ils ne sont pas responsables, ils imputent leur malheur et leurs frustrations aux autres, à l'autre, à la société, au temps qu'il fait, à leur métier, à leurs rhumatismes, à tout, sauf à eux-mêmes. Lorsque ces personnes auront compris que la vie n'est pas une partie de cache-cache, elles feront sans doute face à ce qu'il convient d'appeler leurs responsabilités.

La liberté, c'est la responsabilité

Lorsque je décide de changer, de m'améliorer, c'est mon choix le plus intime. C'est mon libre arbitre, c'est mon « je » le plus profond qui se manifeste. Lorsque je choisis de me prendre en mains, je passe un contrat avec moi-même. Je suis responsable, par conséquent ; si je veux arriver à mes fins, je dois respecter ce contrat, et lui être fidèle. Le pouvoir de réaliser des choses, le pouvoir d'évoluer, c'est la vraie liberté.

Vivre dans le présent

Amusez-vous à demander aux gens qui vous entourent à quoi ils ont pensé aujourd'hui. Vous constaterez que dans la majorité des cas, ces personnes ont pensé à hier, ont ressassé les problèmes de la veille, ont appréhendé le lendemain, mais n'ont en rien vécu les moments du présent. C'est un peu comme si elles vivaient leur vie par procuration. Je ne peux rien sur mon passé. Il est révolu, terminé, je n'ai plus de prise sur lui. Je dois vivre chaque instant qui s'écoule comme unique, précieux et irremplaçable. Je dois concentrer mon énergie sur ce que j'ai devant moi, je dois faire mon travail *hic et nunc*, sans me disperser. C'est un principe simple et universel.

L'image mentale ou visualisation

J'ai « identifié » mon désir, mon souhait, mon rêve. Il s'agit maintenant de le visualiser, de projeter son image dans mon subconscient le plus distinctement possible. Je vais m'appliquer à voir cette image avec le plus de clarté possible, dans les moindres détails. Il me faut être en harmonie parfaite avec ma conscience. Je dois être sincère dans ma requête, je dois la sentir juste, honnête, bonne et profitable. Je ne peux pas tricher avec moi-même. Prenons l'exemple suivant : je place la pancarte « à vendre » sur la façade de ma maison dans l'intention de la vendre. Tout est prêt. J'attends un coup de téléphone de l'agent immobilier. La sonnerie retentit. Je m'empresse de décrocher. J'ai rendez-vous avec un acheteur. La personne arrive, je l'accueille et lui fais visiter la maison. Elle est très satisfaite de l'arrangement des pièces, de la lumière qui baigne le salon, elle décide de l'acheter. Le contrat est signé. Je ne peux m'empêcher de prévenir mes amis de cette bonne nouvelle. Je reçois le chèque par la poste. Je vais le déposer à la banque. Je suis satisfait. Je sors décrocher la pancarte et vais partager ma joie avec des amis qui m'attendent dans un café.

Cette technique est très simple, le fait d'adopter mentalement l'attitude du succès l'attire de façon automatique. Prenons un tout autre exemple. Les grandes inventions se sont faites « par hasard ». La découverte du principe de la machine à vapeur, par exemple. Denis Papin regardait la vapeur soulever le couvercle de la bouilloire. Il constata la force de cette vapeur, et visualisa très précisément cette force, imaginant les résultats que cela aurait sur la matière et sur les objets. Il emmagasina, au cours d'expériences, de la vapeur dans un cylindre muni de pistons, et le principe de la machine à vapeur venait de voir le jour. Cette capacité de visualiser un phénomène dans toutes ses conséquences, et sur tout son « parcours » est vérifiable dans bien d'autres cas de découvertes scientifiques qui ont révolutionné le monde.

La foi scientifique

Toute vie est désir. Toute vie est prière. On demande, on implore, on questionne, on désire quelque chose. La prière est un élan universel, est un besoin et une attitude humaine de croissance. Que nous nous adressions au Christ, à Bouddha, à Khrishna, à Allah, à l'Esprit divin, à l'Intelligence infinie, à l'Énergie cosmique, la prière est un mouvement de pensée qui élève et qui apaise. Lorsque je parle de prière scientifique, je parle de l'expérience de la vie représentée par des actes de foi. Il ne s'agit pas d'une foi aveugle, mais d'une foi quasi mathématique qui me permet de passer à l'action. Elle va de pair avec la sincérité, une honnêteté infinie. Je dois apprendre à domestiquer mes rêves, à discipliner mes images mentales. J'obtiendrai ainsi, à ma mesure, ce que je désire. Lorsque je prie, je m'ouvre littéralement, je trace le chemin nécessaire à la circulation de la libre énergie. Je dois toujours me rappeler que les pensées, les voeux, les désirs, les prières sont de la matière, de l'énergie, au même titre que l'électricité. Je dois me rappeler que ce qui est invisible à l'oeil nu n'en est pas moins réel. La science m'apporte toutes ces preuves ; des inventions comme le phonographe, le captage des ondes radio et les systèmes actuels d'ultra-sons auront raison des grands sceptiques !

Chapitre II

Comment travailler sur sa vie

Lorsque j'ai commencé à travailler dans le domaine de la pensée constructive, j'ai appris à faire de la relaxation, à cultiver mon imagination, mon pouvoir de visualisation. J'ai appris que la pensée est matière, et j'ai développé une foi scientifique. Avec le temps, j'ai structuré mes champs d'action et d'apprentissage, je les ai classés en huit catégories, que je vous soumets ici. Elles représentent une sorte de canevas de travail, que vous adapterez suivant vos désirs et vos besoins personnels.

L'importance de mon corps

Je me suis toujours demandé dans quelle direction s'orientait ma vie, ce que je pouvais mettre en place aujourd'hui pour demain, et quelle serait mon existence dans dix, vingt ou trente ans. À force d'observer mon entourage, j'ai constaté que les personnes qui parviennent à réaliser leurs rêves, souvent fantastiques, le font dans un profond déséquilibre, dont le plus probant touche leur état de santé. En effet, si quelqu'un devient riche, ou fait un métier qui le passionne, il semble payer la rançon de sa gloire par des troubles cardiaques, hépatiques, nerveux.

D'autre part, je constatai aussi que les gens de 60, 70, 80 ans qui avaient connu les privations, les horreurs des crises et des guerres, tant au niveau physique que moral et financier se portaient physiquement à merveille ; que ces personnes qui avaient toutes les excuses ne s'en étaient justement donné aucune.

La différence

Vous avez, tout comme moi, observé ces différences. Des personnes dites âgées sont pleines de vitalité, enthousiastes et, physiquement, grimpent des escaliers « comme des jeunes gens », alors que des gens de 40 ans ne tiennent pas la comparaison. J'ai rencontré à la Nouvelle-Orléans ce genre de personnes rayonnantes d'énergie et leur ai demandé le « secret » de leur forme. Le dénominateur commun est leur goût de vivre, et le fait que l'âge n'a pour eux aucune importance. Ce sont des gens constructifs, qui vivent dans le présent, renforçant ainsi leur avenir ; je fis cette prise de conscience et me mis à soigner et entretenir mon corps sérieusement.

Je pense à mon corps

Au Québec, l'éducation religieuse que nous avons reçue a été catastrophique à ce sujet. En effet, le corps était un vil instrument, sans intérêt, sans charme, que l'on expédiait le plus rapidement possible. Aucune valorisation donc, mais un sentiment de honte et d'embarras. Or nous savons grâce à d'éminents chercheurs que l'attitude mentale que j'ai en ce qui concerne mon corps détermine à 80% mon état de santé. Les complexes, les refus, les dégoûts, les craintes que suscite telle partie de mon corps, ou mon corps au complet font autant de mal à la santé que les virus les plus dangereux. La psychothérapie, la médecine préventive et l'étude des maladies psychosomatiques montrent clairement que le symptôme n'est pas la cause, mais bien l'expression, la « sortie » d'un désordre mental ou psychique, traduit au niveau physique. Ainsi, l'opinion que j'ai de mon corps est déterminante quant à mon état de santé. Je dois apprécier mon corps, non seulement d'un point de vue esthétique, très relatif, mais surtout d'un point de vue fonctionnel.

Savoir apprécier mon corps à sa juste valeur

Cela signifie apprécier l'importance de mes cinq sens, les mécanismes merveilleux qui me permettent d'appréhender le monde, de le transformer et de mieux le connaître. Peut-être avons-nous perdu l'humilité ? Jouons à un jeu. Vous qui me lisez, répondez à haute voix à la question suivante :

« Vous trouvez-vous belle ?

Vous trouvez-vous beau ? »

Vous souriez ? Vous vous sentez gêné ? Vous ne savez que répondre ? Nous savons comme le sens esthétique est élastique, comme il a connu lui aussi des modes contradictoires, opposées suivant les époques, les pays, les civilisations.

L'appréciation esthétique d'un individu est donc très relative ; par contre, apprécier le fonctionnement physiologique du corps est absolu.

Le rôle de la pensée constructive

Dans le livre *La vie des maîtres*, on peut lire, à la page 37, que tout ce que je pense a le pouvoir de se réaliser. L'auteur, Spalting, donne de très nombreux exemples, tant dans le domaine littéraire (Jules Verne) que dans le domaine scientifique (Edison) et dans celui de la recherche. L'auteur énumère également les critères qui permettent de rester jeune longtemps. En premier lieu vient le sens de l'humour, la simplicité : mes yeux, mes oreilles, mon appareil digestif, respiratoire, mon coeur, mon appareil génital relèvent de la perfection. L'émerveillement, comme celui des enfants, et les pensées que j'entretiens régulièrement tout au long de ma vie, déterminent la jeunesse et la qualité de tout mon être.

Le docteur Walter Maltz, un des plus éminents spécialistes en chirurgie plastique écrit que l'on doit apprécier son visage si l'on veut en conserver la beauté. Il explique comment plusieurs de ses patients retrouvaient, plusieurs années après l'intervention chirurgicale le même aspect qu'avant. Pourquoi ? Parce que ces personnes ne s'aimaient pas, et entretenaient en elles une peur terrible, celle de vieillir. Elles ne pouvaient s'accepter ni avant, ni après, car le doute et la crainte les rongeaient. Par contre, chez les patients qui se réjouissaient sincèrement du miracle de l'opération, et qui se respectaient auparavant, en adoptant une attitude positive et constructive, les traits s'affinaient, s'amélioraient au fil du temps. Notre corps n'est pas seulement une enveloppe, ou un véhicule. Ma santé physique influence directement ma santé mentale, et inversement. D'où l'importance d'apprécier son corps dans sa totalité, physique et mentale.

Le panier de pommes

Mettez une pomme pourrie dans un panier de pommes saines. Après quelque temps, l'ensemble des pommes sera pourri, si vous n'enlevez pas la source de « contagion ».

De la même manière, si je déteste une partie définie de mon corps, c'est tout l'ensemble de ma personne qui en sera affaibli. Apprenez à aimer votre corps, à apprécier ce que vous avez. Plus nous avons le désir de garder notre jeunesse et notre tonus, plus nous prenons soin de nous-même, et plus notre espérance de vie s'en trouve accrue.

Le subconscient

Imaginons, visualisons le subconscient comme un ordinateur, qui prend toutes les données qui lui sont transmises sans jugement, sans tri, sans parti pris.

Imaginons aussi que le subconscient n'est pas purement matériel, mais aussi énergétique, et qu'il est vivant dès l'instant de la conception. Dès lors en effet, il commence à enregistrer, à emmagasiner. Il ne raisonne pas, n'évalue pas, mais prend pour acquis tout ce que je lui donne.

Mon subconscient est imprégné des attitudes, sentiments et réactions de mes parents. Dans ce domaine, le docteur Penfield, éminent neurologue montréalais, a fait de nombreuses expériences ; à l'aide d'électrodes, il stimulait diverses parties du cerveau, faisant revivre de cette façon au patient des expériences de sa vie foetale. Toutes mes expériences conscientes et inconscientes se trouvent enregistrées dans le cerveau. Selon le docteur Penfield, la totalité d'un être humain est le reflet de son entourage.

Lorsqu'il atteint l'âge de raison, l'être humain atteint l'âge du choix. C'est à cette époque que l'enfant parvient à imposer sa volonté à ses parents, à l'exprimer fortement, à « faire le poids ».

De la même façon que vous choisissez votre nourriture chaque jour pour vos repas, vous pouvez aussi choisir la nourriture de votre subconscient.

Nourrir mon subconscient

Ces « repas » sont constitués de suggestions, de paroles, d'images, et de symboles qui viennent imprégner le subconscient.

Les symboles sont en fait des associations, des rappels, des « raccourcis », du connu au niveau inconscient. Or, comme nous avons dit précédemment que le subconscient ne raisonne pas et ne juge pas, un symbole sera reçu de la même façon qu'un fait précis, une situation ou une parole.

Nous savons depuis longtemps déjà l'importance du conditionnement dans le comportement d'un individu.

On peut, en modifiant d'une façon donnée un milieu, un système d'éducation, rendre un enfant idiot ou très brillant, indépendamment de son potentiel intellectuel de départ.

Placez un enfant dans une famille dont le père parle anglais, la mère italien et la grand-mère russe, l'enfant à 5 ans sera un parfait trilingue. Ne parlez jamais à un enfant, ne lui manifestez aucune marque d'attention, il sera incapable de se développer normalement.

Le contexte de vie est donc déterminant pour la croissance mentale, psychique et émotive d'un être humain.

Pourquoi, nous, adultes, trouvons-nous l'apprentissage des langues si complexe ? Pour diverses raisons, comme la peur du ridicule, la peur de l'erreur, la peur du travail et de la répétition. Ainsi, les calculs se font dans mon subconscient : soustractions ou additions, il me « remet » ce que je lui ai donné.

L'audio-visuel

Les méthodes audio-visuelles sont l'exemple parfait du conditionnement. En effet, en alliant l'image au son, exactement comme dans l'éducation du tout jeune enfant, l'adulte peut apprendre sans difficulté les langues étrangères, les mathématiques, la conduite automobile ou la dactylographie.

Cet apprentissage relève du réflexe conditionné.

Lorsque, voilà quelques années, je suis allé étudier aux États-Unis, je parlais naturellement parfaitement le français. Le prix de diction obtenu au séminaire faisait d'ailleurs la fierté de ma mère ! Or, après plusieurs années passées loin de chez moi, n'étant plus en contact avec ma langue maternelle, mais en « immersion totale » anglaise, je suis revenu au Québec avec de grandes lacunes en français. Avec le temps, ce qu'on a appris jeune et pratiqué longtemps revient, mais cette expérience m'a beaucoup frappé, car elle illustre bien la puissance du milieu et du conditionnement.

Principe énergétique

Lorsqu'on lance un caillou dans l'eau d'un lac, des vagues se forment, puis reviennent au centre dès qu'elles ont atteint le bord. C'est le principe d'action-réaction.

Ce mouvement ondulatoire est perceptible tout de suite après qu'on a lancé l'objet, mais se fait invisible ensuite, car les vagues sont très petites. Ce même principe s'applique aux niveaux psychique, mental et spirituel.

Ainsi, lorsque j'émets une parole, une pensée, elle est *constamment émise*. En renversant les termes, et parlant du domaine spirituel, je citerai la phrase : « Ne fais pas à autrui ce que tu ne voudrais pas qu'on te fasse ». Il y a 50 ans, on était incapable d'expliquer comme on le fait maintenant les phénomènes du « choc en retour », du magnétisme ou de l'électricité.

Voyons maintenant un autre point sur lequel je veux travailler et modifier mon attitude.

Le travail

Considérons le travail comme un principe. Le mot vient de « tâche », terme assez négatif, si on le compare au mot ouvrage qui, lui, vient de « oeuvre ».

La majorité des gens travaillent, souvent même jusqu'à un âge avancé.

On dit que pour améliorer la qualité de son travail actuel, ou pour en changer, il faut commencer par apprendre à en aimer le principe.

On dit aussi qu'on ne peut jamais améliorer sa situation présente si on déteste son travail. Il faut donc apprendre à apprécier le principe fondamental pour transformer sa situation. Cet état d'esprit est nécessaire pour effectuer le « passage » entre hier et demain, car on ne fait pas de l'amour avec de la haine.

Appréciez ce principe et vous recevrez à la mesure de votre appréciation. Ne fuyez pas vos responsabilités, maîtrisez vos sentiments. J'ai un ami mineur, qui s'est mis à chanter ces dernières années. Au début, il maudissait la mine et la vie rude qu'elle lui imposait. Il critiquait sans cesse son entourage, le travail en soi, les difficultés. Il commença à venir à mes sessions. Je lui dis un jour ceci : « Bob, tant que tu n'apprécieras pas et n'accepteras pas ta situation présente, tu ne pourras pas progresser. » Je réussis à lui démontrer, que même si cela semblait très paradoxal, tant qu'il entretiendrait de la haine et des pensées destructrices, il ne pourrait jamais échapper à sa condition. Aujourd'hui cet ami est convaincu de ce principe, et comme par « enchantement », il vient de décrocher plusieurs contrats aux États-Unis et au Nouveau-Brunswick !

Mon ami Bob a dû se remettre en question, et travailler dur. Une attitude mentale nouvelle bouleverse notre vie, et il m'a avoué avoir connu des moments très difficiles. Cependant, il avait toujours présentes à l'esprit des pensées constructives. On peut toujours se sortir d'une situation pénible, mais dans quel état ! Ce qui importe, c'est d'en sortir fort, solide, grandi, et non déprimé, vaincu ou cynique.

Nous avons vu la dimension du travail, voyons à présent l'envers du décor...

Les loisirs

On dit que l'on reconnaît la valeur d'un arbre à ses fruits. Ainsi, les loisirs sont le fruit du travail. Si vous maudissez votre travail régulièrement, vos vacances sont certainement très pénibles.

Un de mes amis de Québec détestait vraiment son travail, son « job ». Chaque hiver, il partait quinze jours en Floride. Eh bien, il neigeait à Miami, mon ami avait des brûlures d'estomac, sa femme se cassait la jambe, il perdait son argent, on aurait dit qu'il le faisait exprès !

Il n'y a pas de hasard. Les exemples de vacances ratées sont très fréquents, et je suis convaincu que cela vous est déjà arrivé, à moins que cela soit arrivé à vos parents ou amis. Parmi ces cas malheureux, il y a aussi les gens qui gâchent leur plaisir en pensant à toutes celles et ceux qui se gèlent à —20° en plein coeur de février à Montréal ou Québec ! Sans oublier ceux qui, avant même d'avoir décollé, sont déjà choqués à l'idée de retourner travailler quinze jours plus tard ! Laissons également les gens qui apportent des piles de dossiers sur la plage, incapables qu'ils sont de profiter du moment présent et de leurs loisirs.

Ces comportements aberrants sont pourtant tellement fréquents qu'on ne peut les prendre pour des cas d'espèce. La raison fondamentale de ces ennuis et frustrations est que ces personnes se sentent coupables ou polluées par leur haine, leur appréhension, leur mépris du travail. Là encore, l'état d'esprit est déterminant.

On a assassiné le Père Noël

Oui, on a assassiné le Père Noël, le rêve chez l'enfant ; et bien des adultes ne s'en remettent pas, ou très difficilement. Comment retrouver notre émerveillement, nos yeux brillants, nos battements de coeur, notre joie, notre foi indestructible dans le merveilleux, dans l'espoir ?

Lorsque j'étais enfant, et que Noël approchait, on me demandait quels cadeaux j'aimerais avoir. En général, dans ma petite enfance, mes souhaits étaient exaucés. Il faut préciser que mes souhaits étaient proportionnels à ma taille, c'est-à-dire tout petits ! On demandait, mes frères et moi, tout ce qu'on voulait, et on l'obtenait. J'appris bien trop vite que mes désirs étaient comblés tant qu'ils ne dépassaient pas le portefeuille de mes parents. Ainsi, en grandissant, je n'ai plus eu droit aux cadeaux que je souhaitais. Mon père, qui n'était pas riche mais qui n'osait l'avouer, prétextait que nous n'avions pas été assez sages. Et puis vint le jour où il nous révéla que le Père Noël, c'était lui, qu'il était temps que nous redescendions sur terre, et que nous sachions que la vie est rude, que l'argent ne pousse pas sur les trottoirs, et que la vie est pleine de soucis et d'amertume. Quel réveil ! Quelle déception !

L'enfant, élevé dans la croyance à l'impossible et au quasi-magique apprend du jour au lendemain que le Père Noël n'existe plus, qu'il est mort et enterré, et qu'il s'agit de faire face à la « vraie » vie, celle des chagrins, des difficultés financières et des désillusions.

Inutile de vous dire que nous n'étions pas souvent sages à la maison, du moins d'après la définition de mon père !

Ressuscitons le Père Noël

L'adulte que vous êtes, avec son bagage de logique, de sens pratique et de maturité, a la faculté de ressusciter tout au fond de lui le phénomène de croire en l'impossible.

La pensée constructive vous permet de rêver intérieurement, d'une façon intelligente et sensée. Si vous transformez votre attitude mentale, vous obtiendrez tout ce que vous voulez. Il s'agit d'acquérir et de pratiquer une foi scientifique. Que vous soyez croyant ou non, méditez cependant cette prière : « Frappez et on vous ouvrira, demandez et on vous donnera. » À force d'entretenir des pensées constructives, vous créerez les situations propices à la réalisation de vos désirs.

Au cours d'une conférence que je donnais à Matane, en Gaspésie, un étudiant me dit que son rêve était d'aller à Vancouver. Je lui demandai s'il avait déjà songé à faire le tour du monde ; il me regarda les yeux ronds, pour me dire que cela lui semblait tellement impossible qu'il ne s'était même jamais permis d'y penser !

En moins de quelques secondes, ma suggestion avait déjà fait dépasser son rêve à cet étudiant. Lorsque vous faites un rêve raisonnable, lorsque vous vous programmez, soyez clair et précis, car votre subconscient enregistre, souvenez-vous-en, sans apporter aucun rectificatif. Il prend les suggestions exactement comme elles lui sont transmises et dictées. Ainsi, cet étudiant m'avoua que son voyage à Vancouver lui était bien sûr précieux, mais qu'au fond de lui, il sentait bien qu'il y avait une retenue. Rien n'est impossible, si vous avez l'attitude mentale juste. Nous verrons plus loin qu'il ne faut pas confondre pensée constructive avec magie de foire, et que toute transformation implique bien évidemment le travail et la discipline. Ce livre doit vous permettre de voir clairement la puissance des pensées, leur force et les résultats qu'elles apportent. Cela implique un choix, celui de la vie

sur la mort, du oui sur le non, de la clarté sur les ténè-
bres. Il n'est pas de clé miracle sans implication honnête
et profonde, sans travail. La pensée constructive et les
techniques évoquées dans les chapitres suivants vous per-
mettront de réaliser un travail véritable non seulement
sur vous-même mais aussi sur votre entourage.

L'amour

Pour aborder ce domaine des sentiments, je vous
parlerai tout de suite des gens qui possèdent des chiens,
en espérant ne pas vous choquer... Vous avez certainement déjà eu un chien ou un chat chez vous. Vous serez
sûrement d'accord avec moi sur le fait qu'un animal en
liberté est plus « heureux » qu'un animal attaché, et que
tout maître aimant son chien le laissera justement le plus
possible en liberté. Il est sûrement arrivé que votre chien
disparaisse pendant deux ou trois jours, et vous vous êtes
même peut-être attendri devant son appétit et sa mine pas
trop fière au retour de son escapade ! Mais vous savez
qu'un chien qui se sent aimé revient toujours. Je me suis
toujours dit que si cela est valable pour un chien, ça l'est
sûrement pour nous les humains !

Transposons cette situation dans les rapports de
couples. Combien d'hommes et de femmes ont peur de se
perdre mutuellement ! Vous savez que plus une personne
est possessive, plus elle est persuadée qu'on va la quitter,
la tromper ou ne jamais revenir, et plus elle favorise
inconsciemment la réaction de l'autre qui se sent presque
obligé d'adopter le comportement qui ne « décevra » pas
ces pensées négatives. La possession n'est pas l'amour. Si
vous avez peur que votre partenaire vous trompe, dites-

vous que c'est sûrement déjà fait, si ce n'est physiquement, du moins mentalement. Vos pensées négatives sont extrêmement actives, tout comme le sont les pensées constructives, car les pensées sont toutes régies par la même loi de l'action-réaction.

Je sais que la meilleure façon de garder auprès de moi les gens que j'aime est de les laisser libres.

L'homme jaloux, angoissé à l'idée de perdre sa femme, pense qu'elle est la source de tous ses maux. Or, c'est en lui que sont les problèmes, et les peurs. Il redoute que sa femme s'aperçoive qu'il n'est justement pas correct, et il est convaincu qu'elle va le quitter pour un autre.

Les pensées négatives sont très actives, et ont leur manifestation dans la jalousie et la peur. Combien d'enfants vont rendre visite à leurs parents, forcés, culpabilisés, malheureux, car ils subissent un véritable chantage affectif ? Ils ont pitié de leurs parents, et ce sentiment destructeur déséquilibre les rapports qui ne s'établissent plus d'égal à égal.

Soyez à la source de votre propre bonheur

La liberté attire la liberté. Les gens jaloux ont toujours peur de ne pas être aimés, de ne pas être à la hauteur de l'amour de l'autre. Ils ne sont pas à la source de leur propre bonheur. Leurs compagnons ou compagnes leur servent de béquille émotive et psychologique.

La possession entraîne la perte, soit de la santé, soit de la tranquillité, soit de l'harmonie.

Le principe de l'action-réaction régit tous nos rapports vitaux : qu'ils soient d'ordre psychologique, physiologique, psychique ou mental. De la même manière, si vous cultivez des sentiments de paix et de sérénité, vous serez la source de votre propre amour. Ne craignez pas la solitude, car tous les êtres recherchent consciemment ou inconsciemment l'amour.

S'aimer soi-même

Savoir apprécier le principe divin, l'énergie créatrice qui nous habite, c'est s'aimer soi-même. Lorsqu'on a atteint cette autonomie, on peut partager ses richesses intérieures avec quelqu'un d'autre. Peut-être comptez-vous parmi vos connaissances ou amis des « couples gadgets » qui ne cessent de se séparer, de se réconcilier, puis de se quitter à nouveau. Ils ne parviennent pas à établir des rapports harmonieux pour la bonne raison que l'un recherche avidement l'amour, et l'autre lui en donne beaucoup. Ce qui a pour résultat de vider les deux personnes. Pensez à deux seaux, l'un est rempli d'eau, l'autre est troué. L'eau du premier se verse dans le trou du second.

Ne vous « videz » pas, c'est une perte des forces vives qui laisse un sentiment d'échec et d'énormes frustrations. Colmatez plutôt les brèches, ce qui correspond généralement à remettre les gens à leur place. En agissant ainsi, vous leur rendrez, ainsi qu'à vous-même, un grand service. Un autre principe très important en amour, est que je ne peux jamais donner aux autres ce que je ne possède pas moi-même. Si je n'ai pas d'amour en moi, je ne peux pas en donner ni en recevoir, puisque je ne sais pas « identifier » un sentiment qui m'est étranger.

Souvent on côtoie l'amour, ou bien on vit avec lui sans le savoir, et on en prend conscience seulement quand on le perd.

Le jour où nous n'aurons plus peur de la solitude, nous ne serons plus seuls.

L'avenir

L'avenir constitue le huitième point sur lequel j'ai basé mon travail. Il découle bien logiquement des autres points, car lorsqu'il y a harmonie entre mon corps, mon subconscient, mon imagination créatrice, mon travail, mes rêves, mes loisirs, ma vie affective, mon avenir se trouve équilibré et progressif sur tous les plans.

La clé du bonheur, de l'harmonie globale de notre être, est de faire selon notre conscience et au mieux de nos capacités. Avez-vous remarqué comme les gens démunis financièrement ne cessent de maudire l'argent, les autres et eux-mêmes ?

Ils n'aiment pas non plus leur travail, ils critiquent constamment et sont souvent envieux.

Pour corriger de tels défauts, il faut adopter une nouvelle attitude.

Il ne s'agit pas d'aptitude, mais bien d'attitude, qui compte pour 80% dans la réussite globale d'un individu.

La pensée constructive me sortira de l'erreur car elle éclaire, et cette attitude mentale transforme ma situation, ou fait naître des circonstances favorables.

Vaincre ses peurs

Il est très important que nous adultes croyions en l'impossible comme lorsque nous étions enfants. Nous avons même un atout de plus que l'enfant, dont la foi est aveugle, et quasi superstitieuse ; nous pouvons développer une foi basée sur la raison, la logique, la maturité.

L'adulte peut réactiver en lui, tout en gardant les pieds sur terre, le phénomène du rêve et de l'invention. Tous les inventeurs, tous les scientifiques, sont des adultes qui croient à l'impossible. L'inventeur doit dépasser les bornes de sa raison et de ses principes logiques pour sortir des sentiers battus.

Si certains chercheurs ne supportent plus le monde et doivent s'en isoler pour travailler, la plupart poursuivent leur vie sociale, tout en croyant en quelque chose de très différent. Edison fut considéré comme un fou par ses concitoyens. Sans tomber dans de tels extrêmes, nous voyons bien que tout en restant les deux pieds sur terre, et en « fonctionnant » selon les normes sociales, nous pouvons nous imprégner de cette possibilité d'un travail meilleur, d'une existence plus riche.

La « mauvaise » foi, délire obsessionnel, nie toute logique et fait basculer l'être humain dans une quasi-démence ; il fuit alors ses responsabilités, et se trouve toujours des excuses.

Réactiver le rêve logique, c'est pratiquer la foi scientifique. Je vous mets ici en garde contre les rêveurs qui ne font rien, ceux qui ont tendance à rester passifs.

Si vous désirez progresser et améliorer votre existence, vous prendrez les moyens qu'il faut, car vous saurez créer les structures adéquates, celles qui favoriseront au maximum la réalisation de vos rêves.

Il faut donc distinguer la rêverie passive ultimement destructrice qui rend la personne cynique et désabusée, et la rêverie créatrice, dynamique, qui correspond à l'exhortation biblique : « Aide-toi et le ciel t'aidera. »

C'est en somme un contrat que vous vous passez à vous-même, et vous devez miser et risquer pour récolter et entretenir votre souhait. L'attitude génératrice permet d'alimenter votre rêve.

Lorsque j'ai lu le livre au titre un peu rébarbatif *Réfléchissez et devenez riche*, j'ai été intrigué par le fait que l'auteur mentionnait un secret à découvrir. Il s'agit dans ce livre d'une étude qui a été menée auprès de 500 hommes et femmes qui ont réussi leur vie sur tous les plans. À la page 20, l'on raconte l'histoire d'un certain Barnes. Son but était de devenir l'associé d'Edison. Il ne se disait pas : « À quoi bon, je ferais mieux d'abandonner et de me contenter d'une place de vendeur dans la maison. » Il pensait : « Je suis ici pour collaborer avec Edison et je le ferai, dussé-je y consacrer le reste de ma vie. » Son acharnement eut raison de tous les obstacles et il réalisa son rêve. Il prit tous les moyens humainement possibles et honnêtes pour collaborer enfin avec Edison qu'il admirait beaucoup.

La peur affaiblit

La meilleure façon de vaincre sa peur est d'y faire face, de « prendre le taureau par les cornes » comme on dit. Dès l'instant où j'accepte de faire face à ma peur, dès que je ne fuis plus, la peur disparaît à 95%. Qu'il s'agisse de la peur de perdre, de se faire ridiculiser, de vieillir, je décide que j'accepte de consacrer le reste de ma vie s'il le faut à éliminer ces peurs. J'ai l'intime conviction que je vais atteindre mon but.

Je peux d'autant mieux vous parler de ce phénomène que je l'ai vécu moi-même.

Lorsque j'ai commencé à donner des conférences et des sessions au Québec, j'étais un des plus jeunes conférenciers dans ce domaine, et je n'avais que ce métier pour vivre. J'avais de l'appréhension, je craignais que les étudiants ne viennent pas à mes conférences, j'entretenais des pensées d'échec, je me disais que j'allais revenir à mon ancien métier. J'étais convaincu que la tâche était trop dure pour moi. À force de poursuivre mes recherches, de faire des lectures, de parler aux gens, j'ai découvert le grand secret...

J'ai fait face à ma peur, et ma vie a réellement changé ! J'ai décidé de consacrer à cette recherche le restant de mes jours, d'aller jusqu'au bout des choses, au meilleur de ma connaissance, et en prenant des moyens honnêtes.

Dès que j'eus pris cette décision, il n'y eut plus de place pour la peur. Mes cours ont commencé à prendre de l'ampleur, au point que je devais refuser des étudiants. Je n'avais plus le temps de me déplacer entre les différentes villes du Québec où j'étais invité.

Je vous parle ici d'un cas tout personnel. Cependant, le principe dont il est question est universel et applicable à tous. Tous ceux qui ont réalisé de grandes oeuvres, tous les artistes, les réformateurs sociaux, les inventeurs ont « foncé », ont été animés par une foi inébranlable. Dans leur vie, plus de place pour le doute ou les peurs.

L'incertitude et la crainte attirent des gens incertains ou timorés et les maintiennent dans des situations d'incertitude et de crainte.

En supprimant le doute, vous retrouvez toute votre énergie ! Vous avez sûrement entendu dire que nos vies sont prédestinées, que des plans bien précis sont préétablis, que la destinée guide nos pas d'avance, et que quoi qu'on fasse, tous nos actes sont déjà inscrits inéluctablement.

Cette théorie vient en contradiction totale avec la pensée constructive.

Cela va contre le principe que chaque être humain naît libre, doté de son libre arbitre.

Cela est contraire aussi au travail personnel et au dynamisme.

Enfin, cela supprime toute initiative, tout désir de changement, toute implication. Autant creuser sa tombe tout de suite, et ne plus y penser !

Cette philosophie est évidemment très destructrice. C'est celle des pessimistes. On perd, vaincu, avant même d'avoir combattu. Or, je possède au plus profond de moi un potentiel qui peut être utilisé, c'est le potentiel divin qui me permet de modifier mon existence.

Si nous étions tous intimement convaincus que notre vie est déjà écrite et réglée dans les moindres détails, imaginez le peu d'évolution, de recherches, de découvertes qui se feraient alors !

Il faut donc passer à l'action !

Chapitre III
La pensée constructive
transforme mon quotidien

Nous l'avons vu, les media d'information me bombardent chaque jour de nouvelles négatives et destructrices : guerres, menaces, attentats, injustices raciales, sociales, profits éhontés donnent raison aux pessimistes « réalistes ». Bien sûr, si je me contente de faire la somme des catastrophes mondiales et des miennes, plus modestes, il me reste mes deux yeux pour pleurer !

Mais cette époque qui est la nôtre, si difficile, est aussi l'ère du progrès, de la recherche et des prodigieuses expériences scientifiques. Aujourd'hui, cette même science qui a longtemps ignoré, puis attaqué et ridiculisé la parapsychologie, et tout ce qui n'était pas scientifiquement démontrable, nous éclaire et nous aide dans des domaines comme la suggestion, l'hypnopédie, le rêve, en un mot, les merveilleux pouvoirs de ma pensée.

Comme nous l'avons dit, la pensée est matérielle, les ondes qui se dégagent du cerveau sont enregistrées, quantifiées, investiguées. Chaque jour, j'émets des pensées, sur mon passé, sur mon présent, je me projette aussi dans le futur, autrement dit, je me souviens, j'espère et je pense à l'instant présent.

Quelle est donc la relation qui existe entre ma pensée, mon système émotif et ma réalité quotidienne ? Voyons ici les liens logiques entre ces éléments.

Une enquête

Si j'interroge par exemple des adolescents de mon entourage, et si je leur demande comment ils envisagent leur avenir, ou plus simplement comment ils vivent leur quotidien, je m'aperçois avec effroi qu'ils sont désabusés, sans espoir, statiques, déjà installés dans une vie routinière, acceptant la vie comme une corvée nécessaire. Ils ne voient pas comment leur situation pourrait changer, s'améliorer, et ils ont toujours une page de journal à montrer, signifiant : « Vous voyez bien, nous n'inventons rien, tout va mal. » Qu'est-ce donc qui peut motiver des gens aussi défaitistes et abattus à croire en une amélioration non seulement du monde, mais de chacun d'entre nous ?

Ces pessimistes réalistes, comme on peut les appeler, sont convaincus que rien jamais ne changera pour le mieux. S'ils ne voient pas comment d'autres situations, positives celles-là, pourraient supplanter les premières, c'est tout simplement parce qu'ils sont pétris de négatif, incapables d'imaginer une alternative, incapables de voir simplement. Le pessimisme, je l'ai toujours pensé, est une forme de paresse...

Ces gens pratiquent la logique « restrictive ». En poursuivant mon enquête, et vous pourrez en faire autant dans votre entourage, et pour vous-même, j'ai dessiné un triangle.

Les trois pointes représentent respectivement hier, aujourd'hui et demain. Je demande alors aux gens de faire la somme-totalité des pensées de la journée. À quoi se rapportaient mes pensées ? À 80% aux problèmes d'hier, aux soucis d'hier, aux questions d'hier, aux dialogues d'hier, aux rencontres d'hier, aux circonstances d'hier ! Penser à hier, ressasser des moments d'échec sape toute l'énergie vitale et hypothèque non seulement le présent mais aussi l'avenir. Je n'ai plus de prise sur le passé.

Vivre le moment présent est constructif

Lorsque je vis dans le passé, je suis anachronique, je ne respecte pas ma vie. En pensant de la sorte, j'ai hâte que la journée se termine, et j'appréhende qu'une autre commence. Ce tableau est peut-être très noir. Et pourtant...

Je veux savoir si en changeant ma façon de penser, en l'améliorant, ma situation va elle aussi s'améliorer, et mes problèmes disparaître.

Je posai un jour la question au docteur Murphy, lui demandant donc s'il estimait que les problèmes et les soucis s'arrêtaient un jour. Ce à quoi il répondit en riant qu'il avait, malgré ses 80 ans, toujours et encore à affronter des responsabilités et circonstances difficiles, et à endurer certaines épreuves. « Mais, disait-il, contrairement à la majorité des gens, j'ai la conviction que je peux m'en sortir. »

Faisant un bref calcul, je me dis qu'avec mes 32 ans, il me restait pas moins de 50 ans de problèmes à affronter, si j'atteignais 82 ans !

Le pessimisme et les pensées négatives diminuent l'individu

La différence fondamentale entre une personne pessimiste et une personne qui cultive la pensée constructive est que la première sort abattue et diminuée de chaque épreuve, alors que l'autre sort grandie et plus forte des problèmes. Ce sont deux sortes d'accumulation, l'une de négatif, l'autre de positif.

Si cette seconde forme de pensée vous tente, soyez assuré que vous pouvez dès maintenant changer et construire votre vie, l'améliorer en tous points, et en faire profiter, par votre rayonnement, tout votre entourage. Cette liberté de choix, cette force sentie et entretenue implique une grande part de responsabilité.

Revenons un instant à mon triangle passé-présent-futur. Je me dis, maintenant, que j'aimerais que demain soit meilleur qu'hier et qu'aujourd'hui. Ce souhait va-t-il se réaliser par hasard, tout seul, magiquement ? Non, bien entendu, car je vais devoir m'impliquer.

En effet, changer sa façon de penser, de vivre et de réagir risque d'être tourné en ridicule.

L'ami de Trois-Rivières

Lorsque j'ai commencé dans ce domaine, je travaillais dans la région de Trois-Rivières, Shawinigan, et je connaissais un homme d'une cinquantaine d'années qui avait travaillé dans la police provinciale. Cet homme, avec ses trois thromboses consécutives, et un poids trop élevé, était dans un état de santé très critique. C'est d'ailleurs l'opinion que partageaient unanimement parents, amis, médecins et spécialistes.

Cet homme, quant à lui, savait que sa situation ne lui permettait guère de rêver en couleurs. Il décida de jouer au jeu de la guérison. Au lieu de se condamner comme le faisait tout le monde, il décida de profiter au maximum des quelques cartes qui lui restaient dans son jeu. Sa carte maîtresse était son implication et son ardeur à souhaiter et à affirmer chaque jour, plusieurs fois, sans jamais faiblir, que son état allait s'améliorer, qu'il faisait ce qu'il fallait pour que la situation s'arrange, et qu'il était guidé par le principe unique de l'énergie régénératrice.

Cet homme simple adoptait ainsi la même attitude que les chercheurs, les inventeurs, les artistes, qui sont littéralement guidés et nourris par leur désir d'atteindre le neuf, le but qu'ils se fixent. Il se mit à bâtir étape par étape son programme, et le respecta.

Changer son attitude face au quotidien, aux amis, aux relations, à son entourage est créateur. Vous avez en vous le pouvoir d'émettre des pensées, tantôt négatives, tantôt constructives. Cela se produit par la pratique de la méditation.

La pratique de la méditation

La méditation n'est pas comme beaucoup le croient l'apanage de quelques rares élus, orientaux de préférence ! Non, au contraire, nous méditons tous quotidiennement, c'est-à-dire que nous entretenons et émettons des pensées continuellement.

Si vous vous mettez à penser à une vieille peine, à une ancienne douleur ou même à une perte que vous avez subie, si vous ressassez ces sentiments, votre méditation est négative. En effet, elle ne peut rien vous offrir de neuf, rien vous donner pour bâtir ou pour sortir de cette impasse.

Chaque fois que vous replongez dans vos peurs, vos craintes, vos vieilles faillites, que ce soit sur le plan sentimental, financier ou professionnel, la forme de méditation que vous pratiquez alors est extrêmement active, et donnera des résultats négatifs, car le subconscient s'imprègne de la totalité de vos pensées.

Répétons que le passé est mort, mais qu'en me concentrant sur le présent je vois avec anticipation la beauté, le bonheur et l'amour dont mon avenir sera porteur.

Pour méditer constructivement, il est essentiel de suivre les points exposés ci-après.

Il vous arrive certainement de regarder des émissions ou des films le soir, à la télévision. C'est la fin de la journée, donc une période où l'esprit est détendu, et très réceptif. Les messages que vous recevez sont très souvent négatifs : guerres, meurtres, violence, catastrophes etc. Vous qui regardez et écoutez, vous vous trouvez envahi de pensées destructrices. Il s'agit alors, non pas de nier une réalité politique ou sociale en pratiquant le jeu de l'autruche, mais de changer votre réceptivité. Par exemple, avant de vous endormir, lisez des textes constructifs, dont les sujets sont éternels et régénérateurs. Imprégnez-vous sciemment de pensées profondes et claires, qui expriment des vérités et des sagesses universelles. En agissant de la sorte, vous nourrissez votre subconscient de vérités spirituelles avant de plonger dans le sommeil naturel.

Imaginez-vous en train de conduire sur l'autoroute. Vous êtes en train de penser à des accidents, à des catastrophes, vous nourrissez toutes sortes de pensées agressives face aux conducteurs qui roulent en même temps que vous, vous vous sentez très hostile en pensant aux personnes que vous côtoyez quotidiennement à votre travail, qu'il s'agisse de votre patron ou de vos collègues, vous êtes, vous conducteur, en train de méditer de façon très concrète. En effet, vous vivez en imagination des situations désagréables, vous tenez des conversations agressives, et votre automobile est le théâtre de multiples duels !

Cette méditation vous donnera des résultats non moins concrets, c'est-à-dire très négatifs et destructeurs pour vous-même.

On peut définir la méditation comme une conversation intérieure que vous vous tenez à vous-même. Cette conversation se manifeste toujours extérieurement.

Nous l'avons dit, la pensée est matérielle. Songez à la chance merveilleuse que vous avez d'atteindre la paix, en nourrissant votre esprit, votre subconscient d'idées de beauté et d'harmonie. Tout à l'heure j'évoquais des exemples de pensées et de méditations négatives, très puissantes ; or le processus de la méditation constructive est exactement le même en soi, mais les résultats sont diamétralement opposés suivant la « nourriture » que vous donnez à votre esprit.

Pour Emerson, méditer c'était contempler les beautés de la création. Vous pouvez, vous aussi, affirmer ces principes, soit dans la solitude de votre chambre, soit en groupes lors de célébrations si vous pratiquez une religion. Affirmez que Dieu, le Principe divin, l'Énergie, remplit votre esprit de beauté et d'amour, et que votre route en est éclairée. Que se passera-t-il alors ? De la même façon que les pensées destructrices ont leur sortie destructrice, la méditation créatrice permet à l'Énergie de s'extérioriser, pour peu que vous souteniez cette attitude régulièrement.

Les deux tonneaux

Comparez votre subconscient à un tonneau rempli d'eau sale ; vous désirez le vider pour le nettoyer, et l'emplir d'eau claire. Remplissez plutôt votre tonneau d'eau propre. Avec le temps, elle remplacera bien l'eau sale. Plus vous verserez de l'eau propre dans le tonneau, plus l'eau sale sortira.

Cette comparaison très simple permet de voir les applications psychiques de la méditation constructive dans notre vie quotidienne.

L'eau sale, c'est la haine, l'envie, la jalousie, les rancoeurs accumulées. Si vous ressentez de tels sentiments envers quelqu'un, il est très important de libérer la personne dans la liberté divine ou énergétique, qui couvre toutes les dimensions physiques et spirituelles de l'être.

Souhaitez à vos ennemis l'amour, la santé, la liberté. Vous devez en arriver à vous réjouir lorsque de bonnes choses leur arrivent. Mais, direz-vous, c'est la sainteté que vous prônez ! Et je ne suis pas un saint, ni une sainte, mais un individu à la fois simple et complexe, qui essaie tant bien que mal de traverser la vie, le plus constructivement possible, dans la mesure de mes moyens !

Le processus des sentiments
négatifs tels la haine et la jalousie

Je suis entièrement d'accord que le programme que je vous soumets ici peut sembler « inhumain » et utopique. C'est pourquoi je vais vous expliquer comment fonctionnent véritablement les sentiments comme la haine, la jalousie, la peur, etc. Lorsque vous êtes habité par ces sentiments négatifs, aussi justifiés qu'ils semblent à vos yeux, aussi mérités et indéniables soient-ils, c'est *vous* qui les vivez, *vous* qui les émettez, et vous avez bien remarqué qu'en fait, *vous* êtes prisonnier, dépendant, autant que la ou les personnes « cibles » à qui ces rancoeurs sont destinées. En effet, vous perdez votre liberté, vous perdez votre temps, vous perdez une énergie considérable. Vous perdez votre liberté de penser, vous êtes obsédé, indigné, limité par le fait même.

Songez à la force que vous déployez négativement, que vous perdez ainsi au lieu de construire et de vous occuper de vos affaires !

Donc, éloignez de vous les sentiments négatifs, ils sont éminemment destructeurs. Apprenez à maîtriser et à contrôler la grande loi de l'action-réaction. Préservez-vous au maximum, faites la « vidange » de votre mental et emplissez votre psychisme de vérités éternelles, revigorantes et puissantes.

Si je fais couler de l'eau propre dans un tuyau rouillé ou sale, mon eau en ressortira au début tout aussi souillée que le tuyau. Je dois donc nettoyer complètement le tuyau et compter un certain temps avant que l'eau propre ressorte propre. Cet exemple simple illustre cependant parfaitement la marche à suivre pour nettoyer votre subconscient. Ainsi, je dois nourrir constamment mon subconscient d'images constructives, par rapport à moi-même et à mon entourage.

Méditer, c'est vraiment s'imprégner totalement de la présence divine au plus profond de son être. Croyant ou incroyant, cette logique s'adresse à vous, et comme je l'ai déjà mentionné, il est toujours question ici du Principe unique, de l'Énergie créatrice, de Dieu, autant de termes synonymes.

N'affirmez pas que vous êtes incapable de méditer, que c'est affaire de « spécialistes » ! Vous méditez, en ce moment précis ; ne pensez pas non plus qu'il faille suivre un enseignement spécial et coûteux. La pratique de la méditation constructive se fait partout, en conduisant votre voiture, en vous rasant, en faisant votre toilette, en allant travailler, en vous occupant de vos enfants, etc. Cette méditation fait partie de votre quotidien, elle est un symbole de la vie, petite et simple, cosmique et complexe.

Affirmez que l'Énergie vous guide, qu'elle vous protège partout et toujours, qu'elle confirme votre force, votre puissance, votre sérénité, votre joie, votre goût de vivre. Maintenez ces pensées vivantes au fond de votre être.

Notre monde, notre société sont un milieu de critiques, de frustrations, dont nous sommes tous, à un moment donné de notre vie, profondément imprégnés. Comprenez bien que la critique, la condamnation, les frustrations sont de véritables voleurs de votre paix et de votre équilibre tant physique que psychique.

Un exemple de poème constructif est le 10e Psaume, qui confirme la puissance de la parole, la puissance de la pensée qui s'imprègne dans le subconscient et qui se manifeste simplement.

Méditer, c'est absorber des vérités éternelles et s'en imprégner. Il faut donc faire pénétrer dans mon subconscient la nourriture qui lui convient, celle qui se base sur les lois naturelles et dont le symbole est le pain qui se transforme dans mon organisme et qui me nourrit.

Une fois intériorisées, ces vérités simples s'expriment et s'extériorisent dans ma vie, sur les plans physique, mental, émotif et financier.

Méditer, c'est fixer son attention sur un sujet précis, c'est contempler. La méditation est une activité naturelle, qui vous est toute personnelle. En effet, personne ne peut manger une pomme à votre place, ni travailler, ni boire, ni être amoureux, ni être pauvre ou triste ou joyeux pour vous !

Tous vos rêves sont, de même que vos principes et vos idéaux, constitutifs de cette loi de l'Énergie.

Je suis ce que je pense être, je deviens ce que je pense devenir

Vos habitudes, vos pensées, vos opinions, vos désirs qui imprègnent votre subconscient se projettent de façon matérielle dans votre vie quotidienne.

Imprégnez-vous donc profondément, intimement de toutes les grandes vérités que nous avons énoncées, et vous verrez leur concrétisation et leur réalisation se faire jour. Créez le scénario des résultats qui s'accompliront grâce à la méditation constructive et créatrice.

Il est essentiel que vos paroles soient le reflet exact de vos pensées, de vos objectifs, de vos désirs, et ce, dans les moindres détails. Votre foi en ce principe immuable facilite l'extériorisation de vos rêves et de vos désirs.

En d'autres termes, le conscient et le subconscient doivent toujours être en parfait accord, en harmonie parfaite dans toutes vos affirmations.

Méditer, c'est expérimenter la présence divine en nous, et c'est la méthode la plus simple, la plus rapide, la plus naturelle. Confirmez, affirmez constamment que cet esprit vivant est la seule présence, l'unique puissance et la seule loi d'harmonie et d'équilibre ; que cette présence touche tout ce que vous voyez, sentez et pensez, qu'elle est constitutive de l'Esprit divin, de l'Énergie créatrice. Orientez votre esprit vers ces grandes vérités. Dès lors, elles feront partie intégrante de votre être.

Tout le monde médite. Observez les réactions des personnes de votre entourage, de votre femme, de votre mari, de vos amis ou collègues, etc. Voyez comme les critiques sont envahissantes, comme les catastrophes, les guerres, les conflits raciaux, sociaux et religieux provoquent des réactions violentes.

N'êtes-vous pas las de ces critiques, las d'entendre les mêmes paroles défaitistes, vengeresses, cyniques, las d'entendre ce patron critiquer ses employés, las que cette personne ou ce parti condamne les chômeurs et les chômeuses, les accusant de voler leur argent, las des conflits et de la médiocrité ?

Soyez créatif, respectez-vous vous-même, sachez profiter de la puissance qui est en vous, mettez-y une bonne dose d'humour, et votre vision du monde sera radicalement transformée. Soyez imaginatif et exigeant, ne ressassez pas vos pensées éculées. Que diriez-vous d'un restaurant qui servirait chaque jour de l'année le même menu ? Vous n'y mettriez plus les pieds dès la deuxième fois ! Vous seriez saturé des plats réchauffés, toujours les mêmes.

De la même façon, vous avez en vous le pouvoir fort simple de ne plus reproduire vos vieilles erreurs, mais d'avoir des pensées neuves. Les regrets, les remords, les rancunes ne font qu'hypothéquer votre avenir. Des phrases comme « si j'avais su », « il est trop tard », « dommage, ça ne marchera pas », etc. ont des effets « foudroyants » !

C'est le bon sens même que de se respecter, de se faire confiance. L'obsession du passé à reconstruire empoisonne la vie de trop de gens. Il s'agit de ne plus amplifier les pensées négatives, mais de s'en débarrasser comme on jette de vieux vêtements. Laissez la place aux pensées constructives.

Les critiques ont des retombées dévastatrices. Toutes nos pensées les plus secrètes finissent par s'extérioriser avec le temps. Immunisez-vous contre les faux credo, contre l'impuissance psychique, contre les faux prophètes qui assujettissent les gens. Vous avez le pouvoir de changer votre regard et de voir de l'amour là où était la haine, de voir la paix là où était la guerre, de voir le bonheur remplacer le malheur.

La méditation constructive vous apporte la paix, la sérénité, la tolérance et la tempérance.

La sécurité personnelle

Outre cela, la méditation constructive vous donne un sentiment de sécurité personnelle absolue. Le docteur Murphy raconte qu'il visitait un jour des prisonniers. Il rencontra ainsi un homme condamné pour meurtre. Cet homme avait en lui un extraordinaire désir de se transformer, de se régénérer, de renaître physiquement et spirituellement.

Le docteur Murphy commença à lui décrire les qualités et les attributs inhérents au principe divin. Le prisonnier suivit ses conseils, et plusieurs fois par jour, il se détendait en lisant, en répétant et en confirmant que la paix, la sérénité et la liberté circulaient constamment dans son esprit, et que cela avait un pouvoir purificateur et régénérateur. Cet homme désirait fortement changer et travailler pour les hommes. Sa détermination compta pour 80% dans la transformation mentale et spirituelle qui se fit peu de temps après.

Lorsque vous méditez sur cette énergie, vous êtes guidé et protégé, vous confirmez ainsi que l'intelligence infinie, qui est votre conseillère et votre guide, votre source de réserves infinies, est toujours présente. En vous associant à cette présence, vous récoltez tout ce dont vous avez besoin.

À force de pratiquer ce type de méditation, le « terrain » psychique se transforme, s'affine, se développe. Ainsi, vous remarquerez que vous allez ressentir des intuitions et des impulsions jusque-là inconnues, ou du moins très fortement estompées. Plusieurs personnes m'ont avoué ressentir le même état de réceptivité et de joie de vivre que lorsqu'elles étaient enfants !

Bien sûr, lire ces lignes sans mettre en pratique le principe ne constitue pas une expérience. Il vous faut donc méditer concrètement.

Accumulez les preuves de vos progrès

La totalité de vos convictions, de vos opinions, de vos habitudes et de vos pensées devient pour vous une forme de la présence divine, constante et créatrice. Il est très important de commencer dès aujourd'hui à affirmer que vous êtes divinement guidé, protégé et inspiré. Il est crucial alors d'accumuler les preuves, de faire des statistiques sur vos progrès, sur vos assurances, sur tout ce qui peut représenter pour vous une constatation concrète de cette manifestation. Pour ce faire, écrivez vos « résultats », compilez-les, tenez une véritable comptabilité !

Cette assurance que vous donne la méditation constructive vous fait accéder à l'autonomie, à l'indépendance. Vous voyez l'existence non plus comme un ruban incohérent semé d'embûches incompréhensibles, mais comme un terrain où vous pouvez vous manifester, agir, et sur lequel vous allez vivre d'une façon créatrice. Vous avez de la sorte modifié votre champ de vision ; au lieu de garder les yeux à terre, vous avez levé la tête et vu le ciel. La paresse, c'est un peu la mort de l'âme, elle conduit au défaitisme, à l'inaction, à la passivité. Or vous êtes né libre, perfectible, agissant, vous êtes né pour avoir une prise sur le monde, pour vivre pleinement.

Vous savez, au plus profond de vous, que l'espoir est un mouvement vital, éternel, et que les blasés, les cyniques, les frustrés sont des gens qui ont en quelque sorte fermé la porte aux pensées créatrices. Sans porter un jugement de valeur, et en reconnaissant toutes les circonstances atténuantes qu'un individu ou une collectivité peut avoir pour justifier des actes destructeurs ou des pensées négatives, on ne peut nier que la question fondamentale demeure : « Ai-je oui ou non envie de vivre, de m'ouvrir, de me fortifier, ou est-ce que je préfère m'isoler, m'enfoncer dans la négation, me fermer à tout concept vital et spirituel ? »

On dit que la foi déplace les montagnes. Lorsque je parle de foi, il s'agit d'une foi scientifique, quasi mathématique. Vous avez vous-même vécu des moments dans votre vie où tout va mal, où les gens semblent vous en vouloir, où tout est noir, où l'horizon semble à jamais bouché. Et puis la vie « reprend » comme on dit, et vous vous rendez compte avec émerveillement, gêne ou honte que vous avez considérablement perdu votre temps à chasser des craintes que vous aviez parfois forgées, ou encore à lutter contre des angoisses et des dangers imaginaires.

Il est clair que c'est mon attitude qui détermine ce qui arrive, ce qui m'arrive. Si les animaux « sentent » qu'une personne leur est ou non hostile, tout comme ils sont capables d'entendre des ultrasons inaudibles pour l'oreille humaine, vous admettrez que nous, humains, sentons très distinctement ces « ondes » qui ne sont autres que le magnétisme de nos pensées, et que nous réagissons en conséquence. Il s'agit toujours de ce principe universel de l'action-réaction.

Nourrissez constamment votre subconscient de pensées créatrices, de pensées qui vous aident, qui vous permettent, tels des outils, de bâtir, et non de faire un immense chantier de démolition à l'intérieur et à l'extérieur !

Je répète ici que la méditation est basée sur un principe naturel créateur et mental qui n'a rien à voir avec votre appartenance religieuse, politique ou philosophique, ni avec votre classe sociale. Ici, point n'est besoin d'être « membre du club » !

Si la musique et l'encens vous aident, ils seront simplement des amplificateurs de votre état. Qu'ils ne soient jamais des béquilles.

Des expériences scientifiques provenant de multiples centres de recherches, hôpitaux et universités de par le monde ont démontré que le sujet qui médite est dans un état de relaxation parfaite qui est propice à la régénération cellulaire.

Vous verrez dans le prochain chapitre les phases de réceptivité du cerveau, et la façon de les utiliser au maximum.

Chapitre IV

La réceptivité cérébrale et les techniques de créativité mentale

Le sommeil naturel a une importance considérable. En effet, nous passons un tiers de notre vie à dormir. Nous savons que le sommeil joue un rôle essentiel dans le maintien de notre équilibre tant physique que psychique, car il procure la période optimale pour la régénération cellulaire.

Grâce à la mise au point de l'électro-encéphalographe, appareil qui capte le rythme ondulatoire du cerveau, on s'est aperçu que le cerveau fonctionne suivant des cycles variables. Rappelons par exemple que le courant électrique passe à raison de 60 cycles/seconde dans une ampoule. Autrefois, les cycles étaient plus lents, et cela donnait l'impression que la lumière « sautait ».

On a donc pu subdiviser le sommeil naturel en diverses phases, classées suivant les divers cycles par seconde. Elles sont au nombre de quatre. Ce sont :

le niveau conscient,
le niveau semi-conscient,
le niveau inconscient,
le niveau inconscient profond.

Les premières recherches ont d'abord mis au jour les cycles reliés au niveau semi-conscient, où le cerveau fonctionne à un rythme variant entre sept et quatorze CPS (cycles par seconde).

C'est le niveau Alpha, ou A.

Puis, les techniques s'améliorant, on a pu capter le niveau Bêta, ou B, niveau conscient qui varie entre 14 et 26 CPS.

Le niveau inconscient, lui, varie entre 4 et 7 CPS. Allusion au thalamus, qui est une des différentes couches du cerveau, on a appelé ce niveau Thêta.

Enfin, on a pu enregistrer le niveau Delta, celui de l'inconscience profonde, qui varie entre 0,5 et 4 CPS, fréquence très basse, à laquelle fonctionne le cerveau du foetus.

C'est paradoxalement la science qui a apporté le plus de preuves et qui a permis de défendre le bien-fondé et le sérieux de la parapsychologie, et des diverses pratiques et techniques psychiques dont je vais vous parler ici. Ceci peut sembler étrange, puisque les phénomènes dits « non palpables » ont été décriés et ridiculisés, de même qu'interdits pendant longtemps par les scientifiques qui associaient ces phénomènes au charlatanisme.

L'éminent neurologue Wilder Penfield a prouvé que le cerveau humain est imprégné de tout le bagage des expériences, sensations et réactions emmagasinées depuis la conception.

Les neurologues ont également observé que la réceptivité du cerveau est plus importante selon le moment de la journée. Ainsi, nous savons qu'il y a des périodes où la suggestion, l'image, la visualisation s'imprègnent plus facilement dans le subconscient. Je tiens ici à répéter que ce livre se veut un outil et un témoignage de valeur constructive, basé non seulement sur mon expérience mais sur des principes simples. Je tiens à réaffirmer l'importance de la tolérance en ce qui concerne les multiples méthodes existantes. Vous vous demandez sans doute quelle est la meilleure méthode, si elle existe, et il doit vous arriver de ne plus savoir si vous êtes dans la bonne voie, si vos recherches vont aboutir, si vous êtes parti du « bon pied », si votre technique est efficace ou non. Il est vrai que de nos jours, vous avez l'embarras du choix. Une liste non exhaustive des techniques connues aujourd'hui comprend :

le yoga,

la méditation transcendantale,

la méditation transcendantale créatrice, prônée et enseignée par le docteur Joseph Murphy,

le training autogène, ou autosuggestion, méthode à laquelle le Québécois Pierre Clément a consacré plusieurs livres,

toutes les techniques de relaxation, de détente,

l'hypnose, l'auto-hypnose,

la prière, religieuse ou non.

Cette liste est assez impressionnante et avant de vous impliquer, vous vous demandez sans doute quelle est la meilleure technique.

Mon opinion est que dans ce domaine, l'essentiel est d'atteindre un état de paix. Ainsi, quelle que soit votre appartenance religieuse, politique ou sociale, que vous pratiquiez le yoga, la méditation, la foi scientifique ou l'hypnose, la méthode la meilleure restera toujours celle qui l'est pour vous-même. Celle, par conséquent, qui vous procure la sérénité et vous enseigne à mieux vous connaître.

Pour ce qui est de la pensée constructive, la science nous apporte un éclairage précieux.

Lorsque vous êtes en paix, bien dans votre peau, que se produit-il ? Il se produit un phénomène commun à toutes les personnes pratiquant une des méthodes que j'ai nommées. En effet, le cerveau fonctionne alors au niveau Alpha, donc lentement. Il y a donc une grande ressemblance entre l'état cérébral d'une personne en train de prier dans une église ou un temple, en train de garder une posture de yoga, en train de s'autosuggestionner, ou en train de méditer. On sait que plus on pratique ces techniques, plus on atteint un état de paix et de contrôle personnel, et que le rythme cérébral est proportionnellement plus lent. Ce ralentissement n'a cependant rien à voir avec une quelconque inaction physique.

Le rêve

Lorsque je rêve, mon cerveau fonctionne au niveau Alpha. Je sais que tout le monde rêve, même si on n'en garde parfois aucun souvenir. Dans ce cas précis, le sujet rêve aux niveaux Thêta ou Delta les plus lents. Il est impossible de ne pas rêver, c'est une fonction naturelle et essentielle, que l'on peut comparer à une transpiration psychique. Priver quelqu'un de la possibilité de rêver constitue d'ailleurs une torture privilégiée dans notre monde civilisé...

Ainsi, je dors au niveau Alpha. Voyons comment appliquer certaines techniques en profitant au maximum de ces divers niveaux de réceptivité.

L'hypnose

Longtemps considérée comme une sorte de superstition ridicule, l'hypnose est, nous le savons aujourd'hui, non seulement une science rigoureuse et essentielle, mais aussi un art et une technique.

Les médecins, les chirurgiens et les psychiatres l'utilisent de plus en plus fréquemment avec succès pour des thérapies, des déconditionnements (arrêter de fumer ou de boire de l'alcool par exemple), des interventions chirurgicales sans douleur, etc. Cette méthode, bien que présentant de nombreux avantages, comprend un inconvénient qui est de dépendre de l'hypnologue.

L'hypnologue est une personne qui ne détient aucun pouvoir spécial magique ou ésotérique. C'est un technicien qui connaît bien certaines lois, dans le domaine du psychisme, et qui connaît également bien les mécanismes de notre esprit. Il connaît le principe de la suggestion, basé sur la répétition, universellement appliqué, comme par exemple en éducation, dans maints apprentissages (l'enfant de 2 ans est au stade de l'apprentissage de la parole et répète inlassablement des mots et des assemblages de mots, ce qui peut être éprouvant pour l'entourage non averti...)

Si l'on répète la suggestion appropriée sans créer de conflit avec la personne hypnotisée, on parvient à abaisser le rythme du cerveau. Lorsque le sujet atteint ce rythme, il est dans un état de demi-conscience. Il « perd » la raison, le bon sens, la logique, le pouvoir de raisonnement. L'hypnologue peut lui faire peur comme le rassurer, en lui faisant ressentir toute une gamme d'émotions. Le sujet est un peu comparable à une éponge qui absorberait toutes les suggestions qui lui sont faites.

Ce qui fait la qualité d'un hypnologue est la qualité de ses suggestions. Elles doivent être claires, nettes et précises. Si l'hypnologue suggère au sujet qu'il a très chaud, il se déshabillera. Par contre, s'il dit au patient de faire un strip-tease, ce dernier refusera, car la suggestion va probablement contre son code moral. L'hypnose permet, nous l'avons dit, le contrôle de la douleur, qui se fait au niveau Thêta.

Plus le cerveau ralentit, plus le sujet est réceptif à la suggestion. C'est un rêve provoqué, créé de toutes pièces, suggéré. Pendant le sommeil, je suis imprégné par ce qui se passe autour de moi. Les parents, qui attendent que leurs chères têtes blondes soient couchées pour se quereller et régler leurs comptes, ignorent ce principe fondamental : les paroles et les cris sont directement assimilés par les enfants endormis, inconsciemment. On dit souvent aussi qu'une personne dans le coma ne comprend rien et n'entend rien. Rien n'est plus faux ni plus cruel, car cette personne se trouve non pas dans un état de non réceptivité, mais bien de non réaction.

On voit bien la puissance que peuvent avoir les suggestions, et nous allons voir ici l'équilibre à respecter et les dangers inhérents à une mauvaise pratique de cette fabuleuse technique.

Toute suggestion peut être négative ou constructive

La pensée constructive a pour but d'atteindre une autonomie de plus en plus grande. C'est une technique que j'ai développée, dont le support est l'enregistrement sur cassettes. Lorsque j'enregistre un programme, ou un conditionnement, j'ai conscience que mes paroles ont un impact sur les personnes qui m'écoutent. Chaque idée émise a une influence sur l'auditeur. Afin que ni vous ni moi ne soyons victimes de la dépendance, voici la phrase que je dis quotidiennement :

J'affirme dans mes conditionnements que je suis libre d'accepter ou de rejeter consciemment ou inconsciemment toute forme de suggestion verbale ou subjective. Par suggestions subjectives j'entends les opinions, les attitudes, les états d'esprit, les circonstances auxquelles je suis soumis chaque jour et qu'englobent aussi la télépathie et l'influence à distance dont je parlerai dans un prochain chapitre.

À l'instant même où ces suggestions sont émises, vous les rejetez si elles ne sont pas conformes à votre système de pensée ou de vie. En répétant cette phrase quotidiennement, il arrivera un moment où vous direz oui pour la première fois, et non pour la première fois. Cette phrase qui exprime mon libre choix m'immunise en même temps qu'elle immunise les personnes qui écoutent mes cassettes. Je répète l'importance et la puissance qu'a toute suggestion, et je vous ai donné ici le meilleur moyen pour être totalement dégagé d'influences qui seraient contraires à votre liberté de pensée et d'action.

Ceci répond aux questions que mes étudiants, ainsi que le public, se posent généralement. Au cours de mes conférences, on m'a souvent demandé si l'utilisation de ces enregistrements pouvait créer une dépendance quelconque, ou encore si l'on devait s'autosuggestionner toute sa vie.

Les méthodes que j'utilise offrent, comme nous l'avons vu, une « nourriture » au subconscient. Grâce aux conditionnements qui sont enregistrés sur cassettes, l'étudiant a un « menu » en quelque sorte, et des techniques bien précises. Ceci ne constitue nullement un esclavage, une béquille quelconque. En effet, personne ne dira que se nourrir sainement constitue une dépendance. La pratique d'une discipline, qu'elle soit sportive, intellectuelle ou artistique, loin d'être une entrave à ma liberté, est au contraire un support qui me permet de me développer à tous les niveaux, selon mon choix personnel et mes besoins.

Prenons donc ces enregistrements et le processus d'autosuggestion pour ce qu'ils sont : des instruments qui appuient une recherche personnelle librement consentie. Ainsi, vous pourrez, si vous le désirez, vous départir de ces cassettes au moment où vous en aurez envie, mais ceci irait contre le bon sens le plus élémentaire, car vous vous priveriez ainsi d'une aide précieuse.

Le *jogging*, la lecture, la musique, la diététique et les promenades en forêt ne sont pas vos ennemis, n'est-ce pas ? En pratiquant la pensée constructive, vous adoptez un régime psychique équilibré, qui correspond à vos besoins et qui vous renforce sur tous les plans.

La suggestion, pour porter ses fruits, doit être de qualité, conforme à vos désirs. À aucun moment, le doute doit-il s'infiltrer dans votre esprit. C'est pourquoi la suggestion doit être sans équivoque, très claire et précise. En effet, l'image suggérée lorsque vous êtes à l'état inconscient est une réalité alors. L'autosuggestion remplace avantageusement l'hypnose car vous ne dépendez que de vous-même. Plus vous vous exercez, plus cela devient un réflexe et une partie intégrante de votre quotidien. Si toutes les techniques que j'ai énumérées ont des qualités, je puis affirmer que les cassettes que j'emploie dans mon travail procèdent d'une technique adaptée à la fois aux besoins et aux exigences de notre époque. Les cassettes sont des outils rapides, simples et efficaces.

C'est une utilisation rationnelle et intelligente de la technique moderne. Personne ne rejetterait de nos jours les méthodes audio-visuelles qui permettent d'apprendre de nombreuses techniques en un temps record.

Dans le domaine médical, plusieurs neurologues ont indiqué à leurs patients épileptiques des techniques pour contrôler eux-mêmes leurs crises et les enrayer à temps, sans aucun médicament mais en se basant sur la répétition, qui constitue la clé de l'autosuggestion.

L'importance du sommeil naturel

Plus le rythme de fonctionnement du cerveau est lent, plus le niveau de réceptivité est élevé. Le sommeil naturel offre donc l'état de réceptivité idéal pour la suggestion.

Pour obtenir les meilleurs résultats, il importe de préparer au mieux son sommeil.

Sur le plan physique, ne vous couchez jamais physiquement épuisé. Ne sortez jamais de table en ayant trop mangé, mais au contraire en restant toujours légèrement sur votre faim. Chaque fois que votre estomac est gonflé, vous vous sentez inconfortable, et votre digestion se fait beaucoup plus lentement et plus péniblement. Ne mangez jamais trop avant de vous mettre au lit. En effet, le processus digestif emmagasine une quantité donnée de sang dans votre estomac. Ainsi, votre cerveau se trouve « lésé » d'autant, et il est moins bien irrigué.

Si l'on déconseille traditionnellement de se baigner pendant la digestion, c'est uniquement parce que la quantité de sang employée pour la digestion ne va pas dans les muscles, ce qui peut provoquer des crampes et causer d'éventuels accidents.

Le but ici est de donner à votre cerveau le maximum d'énergie avant de plonger dans le sommeil. C'est de cette façon que la régénération cellulaire se fera au mieux. En mangeant légèrement le soir, en vidant vos intestins, en vous couchant raisonnablement tôt et « entier ! », vous favorisez la régénération cellulaire de tout votre organisme.

Faites le poirier, posture de yoga qui consiste à se tenir sur la tête, refaites le « plein » tant au niveau physique que psychique.

Éliminez les états de constipation, cause de nombreux troubles comme les migraines, la mauvaise humeur, les ennuis d'ordre sexuel, la fatigue. Lorsque vous êtes constipé, votre organisme doit dépenser, investir beaucoup plus d'énergie pour éliminer toutes les toxines, ce qui a pour effet de vous fatiguer.

Ce travail de « nettoyage », faites-le aussi au niveau psychique.

Ne vous endormez jamais avec des idées négatives, ou un sentiment de regret, d'échec ou de déception. Au contraire, lorsque vous vous apprêtez à dormir, consacrez quelques minutes quotidiennement à repasser les aspects positifs de votre journée. Si vous n'en trouvez pas, ce qui semble très improbable, pardonnez-vous à vous-même, dites-vous que vous avez fait ce que vous avez pu dans les circonstances, ne vous condamnez pas, vous perdriez votre temps et, qui plus est, votre énergie vitale.

Gardez toujours à l'esprit que demain vous permet de faire mieux, demain vous permet de voir plus clairement vos problèmes, les situations de tous ordres que vous aurez à vivre.

Ne vous couchez jamais effondré, dégoûté de vous-même. Laissez toujours l'espace mental et psychique au changement, à l'optimisme, et à la certitude que les choses iront mieux demain.

Affirmez que vous allez faire des rêves constructifs, créateurs, bénéfiques à la fois pour votre santé physique et mentale. Le rêve peut être défini comme l'expression d'un état de vie inconscient. On sait bien que la majorité des doutes, des craintes et des angoisses s'extériorisent dans les rêves. Il en va de même des pensées créatrices, qui elles aussi, sortent et se manifestent aussi vigoureusement, créant un impact sur le physique. Nous avons tous fait des cauchemars, nous connaissons les réveils en sueur, le coeur battant la chamade, la respiration courte et haletante. On sait donc la force que peuvent avoir les rêves sur notre état physique.

Certains cardiaques mouraient à la suite de cauchemars violents. Conscients de ce danger réel, plusieurs chercheurs ont mis au point un appareil muni d'électrodes reliées à la région du coeur, qui réveille le patient si son rythme cardiaque est trop élevé. Lors d'un cauchemar, le coeur bat extrêmement rapidement. Cet appareil est donc doté d'un dispositif relié aux électrodes, qui déclenche un léger signal, réveillant ainsi la personne.

Le professeur Sellier a fait des études et des expériences mondialement connues et respectées sur les dégâts physiques et psychiques que provoque le stress.

La meilleure façon d'éviter les cauchemars est de se dire que l'on va faire de beaux rêves. En vous couchant, imprégnez-vous de l'attitude constructive que vous aurez en vous levant le lendemain matin. Dites-vous heureux de vous lever, heureux à l'idée d'une nouvelle journée qui commence. La majorité des gens se couchent frustrés, dorment frustrés et se lèvent frustrés.

Il est facile, en observant simplement la façon dont une personne se lève, de savoir très précisément à quoi ressemble sa vie et de quel type de caractère il s'agit. Les gens qui restent au lit le plus possible le matin, ceux qui ont une difficulté énorme à se lever fuient la réalité et les responsabilités. C'est une façon de « gagner » du temps, de retarder le plus possible l'échéance qu'est la prise en charge de sa journée, de son travail, de son autonomie. Ce ne sont, direz-vous, que des détails, mais pour petits qu'ils soient, ils n'en sont pas moins très révélateurs. Pour la personne qui ne parvient à se lever qu'au prix de souffrances terribles, d'une mauvaise humeur très lourde à supporter par l'entourage et d'une mauvaise foi innommable, toutes les excuses sont bonnes pour justifier son attitude. Certains diront que c'est héréditaire (« Mes parents étaient de gros dormeurs »), d'autres s'en prendront au mauvais temps, à la chaleur, au froid, au matelas, etc. !

Si vous êtes las de jouer à cache-cache avec vous-même, faites ceci : dites-vous que vous êtes content de vous lever demain matin, content d'aller travailler, content de commencer une nouvelle journée, avec un esprit neuf et reposé, bref, de recommencer à zéro. Le fait d'entretenir ces pensées constructives vous assure d'un sommeil constructif et réparateur.

Pensez seulement à vos réveils, les matins de départ en vacances, pensez au ressort qui vous pousse littéralement hors du lit ! La qualité de votre sommeil est directement et intimement reliée à votre attitude psychologique.

Rêver est essentiel, c'est un phénomène qui permet d'émettre. Vous pouvez, en vous exerçant, contrôler cette faculté géniale, au point de trouver, grâce au rêve, les réponses à vos questions et les solutions à vos problèmes. C'est ce contrôle que possèdent nombre de chercheurs, d'inventeurs, qui sont arrivés à de fantastiques formules et découvertes au cours de leurs rêves. Pour vous aider dans ce domaine, je vous conseille de tenir une véritable comptabilité des phénomènes psychiques que vous vivez. Agissez pour le psychisme comme vous le faites dans votre vie sociale, dans votre profession, etc. Lorsque vous préparez un budget, ou que vous faites votre déclaration d'impôts, vous remplissez des cases en notant d'un côté vos revenus, et de l'autre vos dépenses. De la même façon, apprenez à consigner vos expériences vécues, les résultats même petits que vous obtenez ; cela vous permettra de mieux vous auto-évaluer, de vous auto-guider et de vous stimuler.

Techniques proposées concernant les rêves

Pour atteindre le but que nous nous sommes fixé, à savoir être à la source de notre propre confiance, voici les étapes à suivre :

Gardez toujours à votre chevet un cahier et un stylo. Écrivez avant de vous endormir la question ou le problème qui vous préoccupe et auquel vous désirez obtenir une réponse ou une solution dans vos rêves. Le fait d'écrire tout simplement ce qui vous préoccupe est d'une simplicité qui peut vous paraître exagérée. C'est cependant un moyen très efficace de mieux vous connaî-tre. En effet, si vous pouvez lire ce que vous venez d'écrire facilement, si les idées ainsi consignées vous semblent claires, nettes et précises, vous êtes près de votre solu-tion. L'énoncé est très important. S'il est embrouillé, confus, vague, dites-vous bien que ce n'est pas dû au hasard, mais que cette confusion est le reflet direct de votre état. Cela compte déjà pour 50% de votre pro-blème. Si vous ne connaissez même pas votre problème ou la question que vous désirez poser, comment pouvez-vous espérer trouver des solutions ?

Commencez donc par vous familiariser avec votre problème. Lisez et relisez ce que vous venez d'écrire, en vous demandant si une personne ignorante de vos préoccupations serait capable de comprendre sans difficulté ce que vous venez de formuler.

Je rappelle ici que le subconscient, en période très réceptive, va être l'instrument idéal pour trouver la solution à vos problèmes. Pour la première fois de votre vie, peut-être, vous l'utiliserez. Une fois votre problème écrit, relisez-le donc, et dès que vous êtes prêt à dormir, donnez-vous la suggestion suivante : « La seule chose que j'ai à faire pour trouver la solution à mon problème ou la réponse à ma question est d'avoir un rêve clair, net et précis. Lorsque ce rêve apparaît, je m'éveille immédiatement, je sors du lit, et si possible, je sors de la chambre à coucher ; je prends mon crayon et mon bloc-notes et j'y transcris mon rêve dans les moindres détails. Lorsque mon rêve est écrit, je retourne me coucher pour *dormir*, et ce n'est que le lendemain matin que je vais relire mon rêve ».

En d'autres termes, vous commencez par établir une sorte de carte de route, vous donnez une procédure à suivre à votre subconscient. Vous devez donc être à la hauteur de ce que vous lui donnez et suivre à la lettre ce qui va se passer.

Supposons que vous vous éveillez la première nuit. N'omettez aucun détail de votre rêve lorsque vous le transcrirez par écrit, même si cela vous paraît sur le coup totalement insignifiant et ridicule. Couchez-vous pour dormir et relisez votre rêve le lendemain.

Le « profil » de vos rêves sera le reflet exact de votre attitude dans la vie. Ainsi, si vous avez toujours été vague, vos rêves le seront aussi.

Si vous êtes menteur, vos rêves risquent de vous mentir aussi !

Les « messages » ou renseignements contenus dans vos rêves sont généralement des symboles. Il vous faudra de l'entraînement, de la pratique pour les interpréter correctement. S'ils sont vraiment très énigmatiques, demandez un autre rêve pour les expliquer, autant de fois que nécessaire.

Les débutants, et moi le premier lorsque j'ai commencé à mettre cette technique en pratique, ne s'éveillent généralement pas la première et la seconde nuit. Les résultats peuvent se faire attendre plus ou moins longtemps, c'est pourquoi je vous conseille de faire cet entraînement un mois consécutif, un peu plus s'il le faut. La régularité est essentielle, comme dans toute expérience de nature scientifique ; il doit y avoir un « suivi », une base rigoureuse. Si vous vous préparez correctement, vous réussirez.

Remarquons aussi que bien souvent, nous connaissons la solution à notre problème, mais nous refusons, généralement par peur, de l'appliquer et de prendre nos responsabilités.

Je vous suggère de commencer par formuler des questions simples et non cruciales pour votre existence. Lorsque vous en serez à votre dixième ou quinzième rêve, vous vous étonnerez, comme ce fut le cas pour quelques étudiants qui arrivèrent un jour à la session en connaissant grâce à leurs rêves les questions ou les thèmes qui leur seraient posés au cours de leurs examens, ainsi que les réponses s'y rapportant.

Le subconscient ainsi « entraîné » est une mine inépuisable de richesses. En vous engageant à pratiquer ces techniques, vous devez absolument respecter vos engagements, et suivre à la lettre le contenu de votre suggestion, dans les moindres détails. Si vous n'utilisez pas les solutions que vous offre le rêve, il va se faire jour une frustration profonde ; votre outil, votre instrument, mal utilisé et non respecté, tombera « en panne »...

Lorsque vous demandez conseil à un bon ami, que ce dernier vous donne la solution du problème, qu'il vous aide, investit temps et énergie pour vous soulager et que vous ne suivez absolument pas la direction qu'il vous indique, que se passe-t-il ? Votre ami se lasse, se fâche ou se tait, mais ne comprenant pas votre attitude pour le moins paradoxale, il se dit que vous n'êtes pas digne de son amitié et de son dévouement et que vous lui manquez de respect !

Il en va de même pour cet outil merveilleux et docile qu'est votre subconscient, et le rêve qu'il émet. Considérez-le comme un ami, un associé, un collaborateur. Soyez toujours à la hauteur de ce que vous demandez et commencez prudemment par de petites questions.

Créez une base solide à votre pratique en vous exerçant régulièrement, quotidiennement. Inscrivez vos rêves sur papier tel qu'indiqué. C'est cette rigueur qui vous permettra de rester inébranlable, stable et équilibré face aux multiples critiques invisibles, aux pensées et opinions négatives, aux doutes ou aux railleries inconscientes que votre entourage ne manquera pas d'émettre à votre sujet. Un bon conseil : faites toutes ces expériences sans en parler à quiconque. Gardez vos forces, gardez secrètes vos recherches, elles n'en seront que plus fructueuses.

Un cas type

Je donnais des cours à Amos et une femme vint me raconter qu'elle avait de très graves problèmes avec son mari. Elle voulait à tout prix l'aider à se sortir de ce mauvais pas et je lui suggérai de demander un rêve, suivant la technique que je vous ai exposée.

Le lendemain, cette femme accourt, l'air défait, et passablement de mauvaise humeur. J'apprends que le message contenu dans son rêve est : « Mêle-toi de tes affaires. » Il est bien évident que cette réponse n'était pas du tout celle que cette femme s'attendait à recevoir !

Allez progressivement, posez des questions simples, qui n'impliquent pas dès le commencement votre vie profonde ; vous mettrez ainsi toutes les chances de votre côté, et votre formation progressive et constante sera une aide précieuse. Rappelez-vous que le seul fait d'écrire votre problème constitue déjà un atout considérable.

Les cas les plus fréquents sont ceux des gens qui réalisent, en se relisant, qu'ils n'ont en fait plus de problème. Cette inscription matérielle leur donne le recul nécessaire, qu'ils ne s'étaient jamais accordé, et ils « voient » pour la première fois leur problème sous un angle différent, original. Ils sortent littéralement ce souci de leur tête et s'en trouvent tout simplement déchargés.

Au cours de ma pratique, j'ai dû traiter, ainsi que mes collègues, de nombreux cas de personnes ayant perdu leur fortune, leur situation. Des cas de faillite colossale ! Je me rappelle cet industriel qui arriva un jour à une session tenue à Montréal. Il me dit : « Je n'ai plus rien, je suis fini. »

Dans cette situation qui est assez courante, il s'agit de poser des questions qui vont mettre en évidence ce qui reste à la personne qui dit avoir « tout » perdu. Cette méthode permet de cerner en quelque sorte la perte, et l'acquis de la personne. Je demandai à cet homme d'écrire ce qui lui restait :
— la vie,
— un corps non handicapé,
— cinq sens qui fonctionnent,
— une bonne santé,
— une famille aimante,
— un potentiel de base, des ressources humaines.

Je lui demandai alors de faire la somme des richesses inscrites. Cette simple liste, cette simple énumération fit prendre conscience à cet homme que sa situation était semblable à celle d'un automobiliste dont la voiture manque d'essence.

Il fallait que cet homme adopte une attitude constructive, retrouve son enthousiasme pour reconstruire ce qu'il venait de perdre. Faire prendre conscience à quelqu'un qu'il possède un bon véhicule ou un bon outil lui fait découvrir qu'il peut se déplacer, et agir.

On reçoit toujours
à la hauteur de sa question

Après avoir formulé votre question de la façon la plus précise possible, déterminez toujours la façon dont vous voulez que la réponse vous parvienne. Si vous posez plusieurs questions à la fois sans spécifier que vous désirez avoir toutes les réponses en un seul rêve, vous risquez de rêver deux, trois, quatre fois dans la nuit, et de la passer debout !

Vous avez rêvé aux niveaux Alpha ou Thêta, donc à des niveaux d'inconscience, vous vous êtes levé et avez été conscient un moment, juste assez pour transcrire votre rêve sur papier. C'est dans ce même état d'inconscience que des karateka ou des judoka donnent et reçoivent des coups excessivement violents sans rien ressentir.

Ne commettez pas l'erreur de ne pas écrire vos rêves, car je peux vous assurer que ce qui vous paraît limpide et évident à 3 heures du matin l'est beaucoup moins au réveil !

Grâce aux rêves, vous pourrez construire et créer, dresser des plans, mettre sur pied des programmes ou des organigrammes. Un de mes amis, mécanicien chevronné, trouve ses solutions de cette manière.

Sur le plan psychologique, vous pourrez découvrir pourquoi telle personne vous reste incompréhensible, vous pourrez expliquer certaines antipathies et trouver les moyens d'y remédier.

Chapitre V

La visualisation : une technique thérapeutique accessible à tous

La visualisation est une technique que nous pratiquons tous, sans nécessairement le savoir. Il en est de cette technique comme de celle de la méditation. Dirigée de façon constructive, elle donne des résultats surprenants, comme l'illustre l'exemple de guérison dont je vais vous parler ici. Il ne s'agit nullement de « miracle », il s'agit simplement de l'utilisation consciente et optimale d'une faculté psychique que nous possédons tous : celle de « voir », de projeter des images, le plus nettement possible de personnes ou d'événements, dans un but positif et créateur.

Ce cas de thérapie est relaté par le docteur Murphy. Voici les faits :

Le docteur Shelby, médecin réputé, était également un grand guérisseur psychique, qui avait la faculté de lire dans les pensées de ses patients, et de donner une description exacte des causes de leurs maladies. Il amassa, au cours de sa carrière, une quantité impressionnante d'observations et d'expériences qui lui permirent de tirer la conclusion suivante : la grande majorité des troubles, malaises et maladies était causée par de fausses croyances, des craintes d'ordre religieux et par un sentiment de culpabilité. Ces découvertes attirèrent les railleries et les attaques les plus dures à ce médecin. Ses collègues le traitèrent de charlatan et d'imposteur.

Voici l'histoire d'une thérapie menée à bien par ce médecin. Un jour, il reçut dans son cabinet une femme paralysée de la ceinture aux pieds. Elle expliqua qu'elle avait vu assassiner son mari devant elle, et que cela avait provoqué un choc émotif intense et sa paralysie. Elle dit avoir consulté les plus grands spécialistes sans aucun résultat. En fait, tout le monde était convaincu qu'elle ne remarcherait plus et qu'elle était condamnée à passer le restant de ses jours en fauteuil roulant.

Le docteur Shelby l'interrogea longuement sur son passé, sur ses habitudes, sur la relation qu'elle avait eue avec son mari, etc. Au bout de quelques visites, il lui dit ceci : « En ce moment, vous êtes en fauteuil roulant, incapable de vous mouvoir normalement. Vous m'avez dit combien vous désiriez guérir, combien vous traversiez de moments de désespoir ; je vous demande de consacrer plusieurs périodes, de vingt minutes chacune, quotidiennement, à des exercices de détente. Les yeux fermés, imaginez que vous vivez comme vous le faisiez et remémorez-vous la pratique de vos sports favoris. Vous m'avez dit que vous consacriez de nombreuses heures à l'équitation, à la natation, au golf, et à la conduite automobile. » Après avoir obtenu de sa patiente qu'elle consacre plusieurs moments de la journée à la détente, le docteur Shelby poursuivit : « Je vous demande d'imaginer que vous êtes à cheval, en train de sauter une haie, de trotter, de galoper, de flatter l'encolure de votre cheval, etc. » La patiente écoutait sans comprendre de prime abord ce que cela pourrait bien changer à son triste état !

Le docteur Shelby précisa qu'il demandait à sa cliente non pas de se « voir en train de galoper, trotter, etc. », mais bien de sentir le plus précisément, le plus réellement possible les sensations que lui procurait ce sport. Il voulait qu'elle ressente profondément et dans les moindres détails tout ce qu'impliquait l'équitation pour elle : le vent sur ses joues et dans ses cheveux, les arbres de la forêt qui défilent, les battements de son coeur, l'exaltation du galop, les courbatures qui lui barraient les cuisses chaque fois qu'elle laissait un certain temps s'écouler entre les pratiques. Il lui dit de ressentir tout cela, la crinière du cheval, son souffle. Pour l'automobile et le golf ou la natation, même technique : ressentir la texture du volant, la pression du pied qui appuie sur le frein, sur l'accélérateur, la vitre qu'on ouvre et qu'on ferme, l'accélération, le ruban de l'autoroute qui défile, et puis les vagues du lac ou de la mer, leur fraîcheur, leurs bienfaits, la profondeur, le mouvement délié et sec du bâton de golf, le gazon moelleux sous les pieds.

Faire comme si...

Le docteur Shelby demandait donc à sa cliente de
« faire comme si », de créer un véritable scénario, de ressentir le plus exactement possible, le plus profondément
possible toutes les sensations que cette femme avait si
bien connues. Il suggéra à sa patiente de pratiquer cette
visualisation plusieurs fois par jour, une vingtaine de
minutes chaque fois, pendant plusieurs mois. Elle suivit
ces indications à la lettre, se concentrant comme il le fallait. Malheureusement, elle n'obtenait toujours pas de
résultat malgré son ardeur et les mois de pratique.

Un jour, le docteur Shelby apprit, au cours d'une
conversation avec sa patiente,qu'elle avait un fils qu'elle
chérissait et dont elle s'ennuyait beaucoup ; elle le voyait
peu, car il habitait en Afrique du Sud, très loin de chez
elle. Ce fils n'avait pas donné de ses nouvelles depuis des
mois, ni par lettre, ni par téléphone. Ce fils lointain
occupait évidemment une bonne partie des pensées de la
malade. Un jour, cette dernière eut une grosse poussée
de fièvre. Le docteur Shelby téléphona à son fils qui
promit de téléphoner à sa mère qui avait été trans-
portée à l'hôpital. Le médecin avait convenu avec cet
homme d'une heure précise, et avait également prévenu
la mère de la situation.

Le docteur Shelby prévint les infirmières et tout le
personnel de l'hôpital que sa patiente allait recevoir un
coup de téléphone. Il donna la consigne de ne répondre
sous aucun prétexte, mais de laisser sonner le téléphone
autant de temps qu'il le faudrait. Il plaça le téléphone
très loin de la portée de la malade, pour la laisser faire
un effort seule, lorsque la sonnerie retentirait.

L'heure de l'appel arriva. La sonnerie du téléphone retentit pendant plus d'une demi-heure. La patiente appelait le médecin, les infirmières ; elle attendait ce coup de téléphone avec beaucoup d'impatience, et se retrouvait seule pour répondre. L'appareil était au moins à dix mètres de son lit.

Avant de poursuivre, je tiens à vous rappeler que cette femme avait travaillé pendant plusieurs mois, régulièrement, consciencieusement, plusieurs fois par jour, en s'astreignant à visualiser les détails les plus précis possible, en revivant avec tout son corps et tout son esprit des situations bien concrètes.

La patiente dans un ultime effort se leva pour aller répondre au téléphone, à son fils bien-aimé. Cet effort était un effort d'amour ; son désir était tellement puissamment ancré en elle qu'il prit la place de la paralysie. Son plaisir, sa joie, surpassèrent en intensité les craintes et les angoisses qui avaient fait sa vie depuis l'assassinat de son mari.

Ni supercherie ni miracle

Le principe de la visualisation, semblable à la méditation créatrice n'est pas, je le répète, mystérieux, ésotérique ou « miraculeux » ! Visualiser ainsi est aussi commun que se nourrir, se vêtir, écrire ou parler. Si nous considérons ce cas de thérapie et de guérison, nous savons que la patiente a investi dans son esprit ; sa paralysie était purement d'origine mentale, provenant du choc émotif qu'elle avait subi. Le cas de cette femme n'est en rien miraculeux ; disons qu'il est très heureux, comme toute guérison, mais la thérapie qui a permis cela est simple.

Tous les grands inventeurs en ont utilisé le processus. Pensons à Newton qui à la question : « Comment parvenez-vous à extérioriser la majorité de vos inventions ? », répondait qu'il s'orientait, se programmait de façon à être guidé divinement, de façon à être inspiré. Les inventions s'extériorisaient alors « toutes seules », sans effort.

J'ai parlé à plusieurs reprises du mot « investissement », qui appelle tout logiquement ceux de « rentabilité, profit, gain ». Les pensées et visualisations constructives me « rapporteront » toujours énormément. Si nous pensons chacun à notre vie, à l'exercice de notre profession, pouvons-nous affirmer que nous sommes toujours « divinement » guidés et inspirés dans ces investissements ? Vous, médecin, pouvez-vous affirmer que tous vos malades sont merveilleusement guéris par vos soins ? Vous, courtier, pouvez-vous affirmer que tous vos clients sont divinement guidés vers vous ? Vous, chercheur de laboratoire pharmaceutique, que tous les médicaments que vous créez portent les conséquences de la santé parfaite pour les malades qui les utiliseront ?

Quelle que soit votre profession, gardez toujours à l'esprit l'idée suivante : il est important que vous vous imprégniez d'amour, d'idées de joie, d'idées constructives, tout au long de votre vie. Prenez la bonne « posture » mentale et psychique. Ouvrez-vous au maximum, vos gains seront immenses. Pratiquez dès maintenant cette forme de méditation, constituez vos propres preuves, vous avez en vous le pouvoir d'améliorer considérablement votre être, votre situation, et celle de votre entourage. Ne pratiquez plus la mesquinerie de l'esprit, la pensée « économique ». Elle vous coûte en fait beaucoup plus cher que vous ne le pensez !

Vous savez combien la tranquillité d'esprit, la sérénité, ont des conséquences importantes sur votre état physique. Tout l'organisme profite de cette paix mentale : la circulation sanguine, l'élimination des reins, le rythme cardiaque, la respiration, la pression sanguine, etc. La paix intérieure crée un état propice à la bonne santé et à l'harmonie physique.

En croyant, en faisant confiance à l'existence de l'abondance infinie, de l'énergie infinie, de la richesse, à tous les niveaux, vous en jouissez automatiquement mentalement. Vous pouvez alors prendre conscience que dans toutes vos pensées, dans tous vos rêves les plus profonds, va se manifester le Principe divin, ou Énergie créatrice, source intarissable, à chaque instant de votre vie, d'une façon fort simple.

Il est vital de rester les deux pieds sur terre. Pour ce faire, organisons nos rêves ! Rentabilisons-les ! Lorsque je parle de méditer, de visualiser, cela n'a rien à voir avec une contemplation tout à fait passive, ou avec la mégalomanie ! Je sais que je suis matière, que je vis dans un monde matériel, et que je suis un être rationnel. J'apprends aussi que méditer est un acte très rationnel, très logique. C'est une technique qui permet d'obtenir des résultats qui s'extériorisent à la fois sur mon corps et mon esprit, mais aussi sur l'état de mon entourage. Famille, amis, collègues, vivent ces « retombées ».

Il faut que j'équilibre le subjectif et l'objectif, en créant le niveau stable et constant entre les deux mondes dans lesquels nous vivons : d'une part le monde subjectif, peuplé de mes idées, de mes rêves et de mes aspirations ; d'autre part, le monde objectif. J'imprègne mon esprit de sérénité, de confiance, je visualise cette paix tout comme je vois le fruit que porte l'arbre.

Méditation signifie milieu

Autrement dit, méditer consiste à faire le joint entre deux mondes, le visible et l'invisible. C'est travailler à la manifestation de ce principe divin dans l'objectivité la plus absolue. Croire sans agir, c'est se condamner à une mort spirituelle et mentale certaine. La foi « paresseuse » ne donne rien ! Souvenez-vous de cet adage qui remonte à la nuit des temps :   « Aide-toi et le ciel t'aidera. »

Il est très important, pour en revenir à l'exemple de guérison que rapportait le docteur Murphy, de faire un véritable scénario, de le vivre dans les moindres détails, et de le projeter dans notre vie familiale, sociale, dans notre milieu d'activités, dans notre travail. Vivre ce scénario comme s'il était déjà réalisé, répéter cette suggestion visuelle. Le docteur Fox, auteur de nombreux ouvrages dans ce domaine, relate l'aventure d'un homme qui, ayant perdu beaucoup d'argent, maudissait chaque jour tous les courtiers du monde. Il vint consulter le docteur Fox qui lui dit d'aller dans le quartier de la Bourse et de bénir mentalement tous les hommes d'affaires, courtiers, banquiers, etc. Il lui demanda aussi de leur souhaiter de réussir toujours mieux dans leur commerce. Le pauvre homme eut une réaction de stupeur ! Comme tout un chacun qui doit bénir des personnes qu'il aurait bien abattues la veille ! Il surmonta sa révolte et décida de s'exécuter... Il se rendit dans le quartier des affaires et souhaita sincèrement chaque jour la richesse, l'abondance, etc. aux courtiers qui selon lui étaient la cause de tous ses maux. Cette suggestion qui semblait paradoxale, voire injuste et révoltante, porta ses fruits.

Nul ne se doit de devenir saint et martyr. Le propos de ce livre n'est pas là ! Il est tout simplement de vous faire travailler dans un sens constructif, en vous proposant des méthodes simples et efficaces. Comme moi, à mes débuts, vous vous esclaffez, vous vous révoltez, vous pestez, vous êtes en colère. Cependant, souhaiter ce qu'il y a de mieux à des gens qui vous sont antipathiques ne procède pas de la sainteté ou de l'abnégation pure et simple, mais d'une pratique mathématique, logique, sensée.

Ne craignez pas d'investir dans cette banque-là, les seules fraudes commises le seront par vous-même !

Réfléchissez à cette règle d'or qui dit que plus l'homme se tourne vers l'amour et l'abondance, plus il en bénéficie personnellement.

Ce point précis, médiant, pour reprendre encore l'étymologie du mot « méditation » nous sert à nous orienter, comme un point cardinal. C'est un repère qui nous permet de diriger notre existence.

Un écrivain fit un jour une entrevue avec le savant Nicolas Thesler, inventeur du moteur rotatif. À la question : « Comment êtes-vous parvenu à cette invention et à sa réalisation ? », le savant répondit qu'il recevait ses idées de l'Intelligence infinie. Alors même que son idée d'invention n'en était qu'à l'état brut, au niveau zéro, Thesler dit qu'il avait l'habitude d'affirmer que toutes les pièces nécessaires à la réalisation et à la construction de son invention lui viendraient de façon claire, nette et précise. Il se disait que l'Intelligence infinie représentait pour lui la paix, la confiance et l'assurance que son invention se réaliserait dans les meilleures conditions. Chaque étape, chaque pas, chaque nouvelle donnée venant construire et parfaire l'idée de départ.

Inventeurs, compositeurs, peintres, artistes de toutes disciplines, chercheurs en physique, médecine ou chimie, les exemples sont très nombreux. Chacun d'entre nous, à sa dimension, possède en lui la faculté de voir la manifestation physique de ses pensées intimes.

J'ai déjà insisté sur le fait que les processus de la suggestion, de la méditation, de la visualisation, sont basés sur le même principe, qu'il s'agisse d'activité négative ou positive et constructive. Ainsi, prenons l'exemple du « crime parfait ». C'est bien le fruit d'une méditation intense et d'une pratique de visualisation poussée dans les moindres détails. Le meurtrier passe et repasse dans son esprit toutes les situations, toutes les réactions, tous les gestes des gens qu'il va côtoyer ! L'expression le dit, il s'agit d'un « crime prémédité ».

L'harmonie, l'amour, l'équilibre sont aussi puissants que peuvent l'être la haine et l'esprit de destruction. La méditation qui construit vous régénère, et fait de vous des êtres « neufs ».

On sait qu'il y a une multitude de vibrations dans l'univers, qui est rythme et mouvement perpétuels. Nous faisons partie de cet univers de vie, de mouvement, de synchronisation.

Branchez-vous sur l'univers

En méditant au plus profond de vous-même, vous vous branchez sur l'univers. Vous captez les ondes qui vous redonnent force et vitalité. Une image que je vous suggère de visualiser au cours de votre méditation est celle d'un lac bleu. Imaginez-vous sur une montagne, contemplant un lac bleu, paisible, qu'aucune vague ne vient rider. La lune se reflète dans l'eau. Visualisez bien ce tableau, de manière à en imprégner votre subconscient.

Le lac que vous voyez en ce moment est calme, plat, immobile, semblable à un miroir qui reflète les grandes beautés de la nature. La lune, les étoiles, le soleil. Si ce lac est agité, calmez-le, non en forçant votre esprit, ce qui créerait un conflit et une tension, mais en visualisant immédiatement le lac à nouveau serein, plat, sans une seule ride.

Cette technique de « remplacement » est très douce, vous ne brusquez pas votre subconscient, vous agissez en respectant le principe fondamental de la pensée constructive, qui est d'apporter en douceur des éléments neufs qui permettent de bâtir une autre vision, une perception plus élargie des êtres, des choses et des événements. Méditer ne signifie donc pas lutter contre les pensées négatives qui se présenteront, surtout les premiers temps, en les maîtrisant par une certaine violence mentale. Méditer constructivement signifie affirmer sans relâche la beauté, la force, la tolérance, un espace et une dimension psychiques plus vastes et plus clairs.

Faites-le une demi-heure par jour, visualisez vos plus beaux rêves, et vos plus beaux désirs. Investissez ; cela vous « rapportera » si vous pratiquez régulièrement. Votre vie va s'améliorer, en effet ; comment en serait-il autrement ? Vous faites le grand nettoyage de votre esprit, votre mentalité va s'en trouver transformée pour le mieux, votre moral et votre physique également.

En méditant, vous vous détachez de toute forme d'opinion issue de votre milieu ou provoquée par les circonstances que vous vivez. Ne ressassez pas, éliminez toute tension, toute pression. Sentez en vous la paix et la vérité.

Détachez-vous des fausses opinions, des fausses croyances, des idées erronées et usées. Devenez une personne responsable de ses buts, de ses joies, de ses désirs. Détachez-vous des angoisses et des prédictions catastrophiques. Ne prenez pas la terre en charge, ne vous culpabilisez pas, commencez votre transformation à vous, en vous, et pour vous-même.

Vous parviendrez à faire le silence dans la foule. Ce voyage au plus profond de votre être vous permettra de bloquer le passage aux pensées négatives, à toutes les critiques, marques de jalousie, d'envie ou de colère, qu'il s'agisse de vos propres pensées, ou encore de celles que les autres émettent consciemment et inconsciemment à votre égard.

Vous pouvez méditer dans Broadway, Place de la Concorde, rue Sainte-Catherine, à la campagne ou dans le métro.

Si vous aimez la musique, choisissez-la comme une aide qui accroîtra votre bien-être. Méditez sur les beautés, sur les splendeurs du monde qui nous entoure. Réalisez que vos pensées sont créatrices, et que tout ce qui vous entoure, la lune, le soleil, les étoiles, est véritablement le résultat prodigieux d'une Pensée.

Nous savons bien que les rêves les plus irréalisables d'hier sont réalité courante aujourd'hui. Nous savons également que les plus grandes découvertes, les plus merveilleuses inventions sont toutes nées d'une image, d'une projection dans l'esprit de grands « rêveurs », de visionnaires.

La méditation créatrice vous guide automatiquement vers votre propre réalisation. Soyez toujours à la source d'une énergie constante, et remplissez-en votre subconscient.

Pratiquez la présence de la paix, de l'amour, de la joie de vivre, de la sagesse, de la compréhension de soi et des autres. Vous verrez avec plaisir les petits détails qui vous froissent, vous ennuient, vous irritent, disparaître pour faire place au progrès.

Vous vous apercevrez comme notre mental est agressif, comme nous broyons, tels des moulins, des idées parasites qui veulent toujours s'imposer. Peut-être serez-vous surpris de ce véritable champ de bataille, où vous observez incrédule tous les chefs belliqueux de « votre » armée ! Le mental est bavard comme une pie. Mais votre méditation, neuve et enrichissante, apportera d'autres éléments. Ainsi, vos limitations tomberont, votre humeur s'améliorera, vous deviendrez plus joyeux ; toute projection amoureuse et constante peut remplacer la haine, l'agressivité, la jalousie, et nous faire ressentir une sensation très pleine de paix, que tout notre entourage pourra partager.

Cet état aura des répercussions sur votre physique. Vos sentiments, vos réactions s'en trouveront raffinés et vous ressentirez alors une sensation de régénération à la base de la colonne vertébrale, comparable à un fourmillement.

Méditer, c'est souvent savoir apprécier les autres, ce qu'ils font pour nous. C'est savoir apprécier aussi leur liberté. Outre le fait de méditer sur les grands principes vitaux et spirituels et les beautés de la nature, consacrez toujours plusieurs minutes aux personnes qui donnent l'amour, qui sont bienfaisantes. Visualisez-les très nettement, et imprégnez-en votre esprit.

Chapitre VI

Télépathie et influence à distance

La télépathie et l'influence à distance sont deux phénomènes qui existent depuis toujours, mais dont l'utilisation systématique et scientifique est assez récente. Récente également la crédibilité dont jouissent ces deux « techniques » psychiques. Il y a une quinzaine d'années, les Américains faisaient dans un sous-marin le « relais » télépathique avec la terre ferme. Dans le vaisseau spatial Apollo 14 avaient lieu d'extraordinaires expériences télépathiques non plus des profondeurs de l'océan à la terre, mais de la lune à la terre.

La télépathie est une science quantifiable dont on peut enregistrer les effets. Elle a ses règles, et on peut faire des relevés très précis ainsi que des contrôles mécaniques.

C'est également un art, celui de communiquer à distance, de faire voyager ses pensées, de les envoyer à une autre personne qui les renverra.

L'art de la télépathie est la manière, plus ou moins efficace selon les personnes émettrices, d'agencer toutes les images qui sont la clé de ce phénomène. Un bon télépathe doit reproduire « à la lettre » ce qui se produit dans notre imagination, afin de le transmettre à une autre personne qui se trouve loin de lui.

Le rêve éveillé

Ici encore, il s'agit de faire une véritable mise en scène. J'ai une idée à exprimer, et je veux la développer. Je la décompose en trois parties : le début, le développement ou corps, et la conclusion. Le but à atteindre en télépathie est de *réaliser* que toutes nos pensées atteignent leur but et par le fait même nous sont retournées. Il s'agit toujours du même principe d'action-réaction dont je vous ai longuement parlé dans ce livre.

Qu'est-ce qui me prouve que la personne à laquelle je pense reçoit bien mon message ? Quelle preuve ai-je qu'elle me donnera en retour ce que je pense d'elle ?

L'évidence est que vous devrez « risquer » l'expérience pour en être totalement convaincu ! Je peux parler des jours et des années des plaisirs de la natation, du tennis ou des mathématiques à un enfant, ou à un profane donné, l'expérience qu'il voudra bien tenter vaudra toutes mes explications !

Vous ne risquez en fait que de réussir, et de développer ce que tout être humain possède au fond de lui : des pouvoirs non pas surnaturels, mais très naturels, qui ont été délaissés et quasi oubliés, la technique suppléant avantageusement à nos « dons ». Paradoxalement encore, c'est la science et sa rigueur, ses expériences et sa soif de connaître et d'investiguer qui redonnent un poids et une crédibilité incomparables à ce phénomène télépathique, tout comme à celui de l'hypnose dont j'ai déjà parlé.

Ainsi donc, lorsque vous aurez personnellement vécu l'expérience, vous serez mieux à même de vous réapproprier cette faculté. Il faut commencer par se prouver à soi-même que l'on est capable de projeter une pensée à quelqu'un et que cette personne réagit en conséquence à ce message.

La télépathie fait prendre conscience des conséquences de chacune de nos pensées

Si je veux me prouver que la personne reçoit mon message et y répond, voici comment procéder. Tout d'abord, je dois choisir trois personnes de ma connaissance qui ne m'ont pas appelé ou écrit depuis trois mois, six mois ou un an. Commencez votre mise en scène en structurant mentalement le message que vous allez leur envoyer, afin qu'ils vous appellent pour vous donner de leurs nouvelles. Si je vous conseille de choisir trois personnes et non une seule, c'est uniquement pour respecter le code éthique qui consiste à laisser les gens libres de vous appeler ou non.

Premièrement, imaginez dans les moindres détails l'aspect de vos correspondants. Voyez la couleur de leurs cheveux, leur teint, la forme et la couleur de leurs yeux, leur coiffure. Imaginez leur sourire, leur démarche, leur façon de parler, de garder le silence, d'avoir l'air enjoué, de rire. Voyez mentalement tous leurs tics, les gestes qu'ils font d'habitude, tout ce qui les caractérise et vous les rend extrêmement proches. Plus vous accumulerez ce type de détails sur leur apparence et leur comportement, plus la communication que vous désirez établir sera claire.

Deuxièmement, essayez de vous représenter les personnes dans des endroits connus, familiers. Il peut s'agir de leur propre demeure, et si vous désirez qu'elles vous téléphonent, visualisez-les près de leur appareil, dans leur contexte de vie.

Troisièmement, reproduisez exactement tous les gestes, tous les mouvements que devront faire vos correspondants pour vous appeler. La personne décroche l'appareil, vous entendez le déclic et la tonalité, puis elle compose votre numéro chiffre par chiffre. Elle doit peut-être passer par la téléphoniste pour vous joindre ?

Plus vous reproduirez avec précision et fidélité les gestes réels, plus votre succès sera assuré.

Nous arrivons maintenant à la conclusion de votre scénario. Une fois que vous avez visualisé la personne en train de composer votre numéro, à vous d'envoyer votre message. Vous entendez clairement la sonnerie du téléphone, vous décrochez et vous commencez à dialoguer. Pratiquez cette technique deux ou trois fois par jour, pendant une durée d'environ un mois. N'oubliez pas de prendre cela comme un jeu. Dans la majorité des cas, les personnes que vous avez choisies vous contacteront.

Le point le plus important, hormis la pratique régulière de cette technique, est de laisser les personnes libres, et de respecter cette liberté, en en étant profondément conscient.

Vous pourrez constater, si ce n'est déjà fait, que le hasard ou les coïncidences n'existent pas, en fait. En effet, dès que vous aurez obtenu une réponse à votre question, à votre demande, vous comprendrez dans votre âme et conscience que chaque pensée émise est perçue par les gens qui y réagissent inconsciemment. Nous émettons des opinions inconscientes envers un grand nombre de gens. Lorsque vous vous sentez mal à l'aise en compagnie de certaines personnes, dites-vous que c'est le fruit de toutes les opinions négatives, de toutes les critiques émises de part et d'autre. La sympathie et l'antipathie concernant des êtres qui ne se sont jamais vus ni parlé est l'illustration flagrante de ce phénomène. Pourquoi en effet nous sentons-nous en confiance, bien dans notre peau et prêts à tous les échanges avec une personne, et non une autre ? Nous émettons et captons constamment des messages, négatifs ou constructifs. Nous provoquons inconsciemment bien des courts-circuits !

Dès l'instant où vous serez réellement et profondément conscient que vos pensées atteignent leur but automatiquement, je peux vous affirmer que vous ne pourrez plus penser de la même manière. Vous ne traiterez plus personne d'idiot, de stupide, de laid ou d'incapable, que ces personnes soient ou non présentes : leur esprit est toujours en contact avec le vôtre. Nous sommes tous en contact psychique les uns avec les autres.

Vous n'êtes sans doute pas d'accord avec les opinions de vos voisins, de vos collègues, de vos dirigeants.

Que cela ne vous empêche pas de rester libre et de laisser les autres libres. Avec le temps, vous attirerez de plus en plus des gens dont les pensées sont compatibles avec les vôtres.

En résumé, faites par vous-même la preuve que la télépathie donne des résultats. Soyez assuré qu'en projetant de l'amour et de l'harmonie, vous serez totalement « immunisé » contre toute forme de pensée négative.

L'influence à distance

Télépathie et influence sont différentes, même si leur base est semblable. En effet, dans l'influence à distance, on projette un état sans nécessairement avoir de réponse en retour comme dans la télépathie.

Lorsque vous projetez un état, vous pouvez influencer les êtres humains, les animaux, les plantes et les minéraux. Vous devez toujours avoir en tête le respect de la liberté d'autrui, tout comme dans la télépathie, et accepter que les gens refusent votre influence.

Il existe trois sortes d'influence à distance :

1. l'influence statique,
2. l'influence subliminale,
3. l'influence dynamique.

Je vais vous donner ici des exemples illustrant chacun des trois types d'influence à distance. Quelqu'un se perd dans le bois ou dans la forêt. Que se passe-t-il ? On commence des recherches, et souvent, on fera appel à un chien spécialement entraîné. On fait sentir à l'animal des vêtements qui ont appartenu à la personne disparue, et on espère que le chien suivra les « traces ». Il ne s'agit pas seulement d'une odeur proprement dite, que le vent, la pluie ou la terre peuvent estomper ou même faire complètement disparaître. Il s'agit ici d'une *empreinte magnétique*. Le « flair » des animaux ne nous étonne pas.

Disons que l'on a parfois plus de mal à accepter la faculté des radiesthésistes, qui sont des gens capables de capter le magnétisme des individus et de la matière. Vous connaissez les sourciers.

Dans le cas du chien qui part à la recherche d'un disparu, il s'agit d'influence statique.

Tout ce que nous touchons porte une marque ; objets, meubles, vêtements, maison, sont imprégnés de notre marque magnétique. Chacun de nous doit tendre à sa réalisation individuelle, je veux dire à son développement, à sa croissance physique, psychique et spirituelle, non à l'égoïsme. Pour renforcer son individualité, il faut préserver et conserver son potentiel énergétique. Ainsi, évitez de porter les vêtements des autres, car le champ magnétique d'autrui passe dans vos vêtements et est un facteur hautement « dépersonnalisant ».

L'histoire du poisson

Le plus bel exemple du respect de soi, donc de l'autre, et la plus belle illustration qu'il ne s'agit nullement d'égoïsme se trouve dans le merveilleux proverbe chinois : « Si tu aimes ton enfant, ne lui donne pas un poisson, apprends-lui à pêcher. »

De la même façon que le chemin reste imprégné de la marque magnétique du marcheur, vos vêtements sont lourds magnétiquement. Vous avez remarqué à quel point les enfants détestent porter les vêtements des autres ? Les seules exceptions sont lorsqu'il s'agit de très grands amis.

Un jour, je recevais des connaissances, et mon ami Georges s'assit sur le siège qui dans la maison m'était attribué, donc à « ma place ». Mon fils poussa les hauts cris, et refusa que « l'étranger » reste une minute de plus sur mon territoire !

Les animaux ont ce même genre de susceptibilité, et défendent parfois férocement les vêtements, chaussons, chaises ou fauteuils de leur maître sans que quiconque leur ait demandé de faire du zèle ! Ainsi, porter les vêtements d'autrui nous influence, à un niveau purement énergétique qui peut nous dépersonnaliser ; même si ces notions semblent farfelues, ou difficiles à accepter, elles sont vérifiables dans notre quotidien, mais bon nombre d'entre nous ne voient pas les choses sous cet éclairage précis.

Pour ces mêmes raisons, il est très recommandé de vivre dans du neuf, et d'imprégner soi-même ses affaires, qu'il s'agisse de ses meubles, de ses plantes, de ses objets, de sa maison, etc. Les enfants qui n'aiment pas prêter leurs jouets ne sont généralement pas d'ignobles égoïstes. Ce sont des êtres qui ressentent tout simplement le besoin impérieux de ne pas court-circuiter leur champ magnétique.

L'influence subliminale à distance

Il s'agit ici d'une suggestion visuelle ou sonore, imperceptible à l'oeil nu ou à l'oreille.

Il existe des domaines comme celui de la publicité qui emploient abondamment cette technique. Les messages publicitaires subliminaux ont le pouvoir très calculé de nous influencer à notre insu. Le client cible, et pour les publicitaires tous les clients sont des cibles, n'offre aucune résistance, car la suggestion ne frappe que son inconscient. Il achètera « sans savoir pourquoi » une lessive XX et non YY.

Rappelons qu'il est formellement interdit selon la loi d'utiliser les images subliminales au cinéma ou à la télévision. La technique des images subliminales consiste à insérer des messages visuels entre les 18 ou 24 images/seconde d'un film. Ces images passent tellement rapidement qu'elles imprègnent automatiquement le subconscient car le conscient, par son organe, l'oeil, n'a pas eu le temps matériel de les percevoir, de les identifier et de les trier. Il est des images subliminales et des sons subliminaux. Je garde encore en mémoire la séquence de projection du film *L'Orange mécanique*... Ainsi, par les images subliminales, on peut faire de véritables lavages de cerveau qui sont un processus de dépersonnalisation forcée, ce qu'on appelle un viol psychologique. Cependant, ces mêmes procédés filmiques sont autorisés dans des buts thérapeutiques. On sait qu'il existe des programmes de soins destinés par exemple aux toxicomanes, aux alcooliques ou aux personnes souffrant d'obésité.

Chercheurs et médecins ont mis au point des « documentaires » d'une durée approximative d'une heure et demie, qui sont projetés dans le cadre d'une thérapie, à raison d'une fois par semaine, pendant dix-huit semaines. Les documentaires sont, par exemple, destinés aux personnes obèses. On projette aux patients des images représentant un gros morceau de gâteau au chocolat ou des sandwichs avec beurre, saucisson, mayonnaise et ketchup. En même temps que ces images de nourriture banale se fait la projection d'images subliminales montrant, elles, la tranche du gâteau vedette grouillant de vers ou d'insectes plus répugnants les uns que les autres. Même traitement pour le sandwich qui avait l'air si appétissant.

Les images subliminales peuvent également être des représentations d'aliments considérés comme bons et sains pour les patients en traitement. À la fin du traitement filmique, les gens se sentent pris comme par hasard de nausées à la seule pensée d'un gâteau ou d'un sandwich, et tout aussi bizarrement, vont avoir des envies de salades fraîches et légères, de fruits et de poisson maigre !

L'image subliminale est donc une incroyable force de dissuasion ; c'est une arme psychologique qui crée littéralement une indigestion mentale et a des répercussions bien concrètes sur le comportement. On peut contester ces méthodes de « traitement ». La raison pour laquelle je les ai mentionnées ici est de vous donner une idée de la puissance que peut avoir un message qui s'attaque directement à notre subconscient, sans passer par la conscience ou par la perception sensorielle.

Nombreux sont ceux qui estiment que de telles méthodes ne sont guère constructives. En effet, on assiste plus à un bombardement psychologique qu'à une analyse en profondeur du problème du patient. Dégoûter une personne des gâteaux au chocolat la prive irrémédiablement de cette possibilité d'« évacuer » son problème. Et c'est aussi chercher la cause du symptôme qui est important.

Je vous donne ici une autre preuve d'influence psychique. Aux États-Unis, on a beaucoup parlé de certaines méthodes utilisées par la police pour recueillir des renseignements. Par exemple, lors d'un hold-up ou d'un meurtre, les témoins se trouvaient généralement dans la quasi-incapacité de raconter quoi que ce soit aux enquêteurs et à la police. Ils se trouvaient en état de choc et avaient un trou de mémoire. La police a utilisé l'hypnose pour faire révéler aux gens les détails qu'elle jugeait nécessaires.

Nous voyons ainsi le phénomène d'absorption de notre subconscient qui révèle et fournit toutes sortes de précisions et de détails lorsqu'on a la technique « pour le faire parler ». Là encore, ces techniques peuvent en faire bondir beaucoup, et vous êtes seuls juges.

Les techniques psychiques sont des outils qui peuvent être soit très constructifs, soit très destructeurs. Le courant électrique a fait faire des progrès prodigieux à nos sociétés, mais il peut être mortel. L'eau rend la vie possible, mais il ne faut pas s'y noyer. Le bon sens est toujours le guide le plus sûr, et tout en restant tolérant, vous devez aussi être très vigilant. Ce qu'il est très important de révéler au public, ce sont les sources qu'il porte en lui, et les techniques simples et efficaces susceptibles d'améliorer son état, ou de le maintenir à un degré optimum.

L'impact que peuvent avoir les pensées sous toutes leurs formes, comme les suggestions, la visualisation, les rêves, est considérable et transformera votre vie si vous savez les diriger constructivement.

Pensez jeunesse, succès, vitalité

Admettons que vous pratiquiez l'influence à distance en prenant vos parents comme « récepteurs ». Il est important que vous choisissiez comme support de visualisation une photo qui les représente non à leur âge actuel, mais à vingt-cinq ou trente ans. Cette image empreinte de jeunesse est très créatrice et inspirante. J'ai déjà souligné l'importance d'images comme celle d'un nouveau-né pour notre régénération cellulaire. Plus vous entretenez des symboles visuels de jeunesse et de nouveauté, plus vous entraînez votre organisme à conserver sa propre jeunesse et sa propre tonicité. Qu'y a-t-il de plus jeune, de plus « neuf » qu'un bébé ? Chaque matin, au lever, visualisez chaque cellule de votre corps dans l'état de jeunesse et de force d'un bébé. Lorsque vous pratiquez l'influence à distance, la photo qui vous servira sera plus convaincante, plus stimulante si elle dégage elle aussi jeunesse et vitalité. L'image est la base nécessaire à cette pratique. N'en négligez pas la qualité. Choisissez toujours une représentation pleine de force et d'énergie, elle parlera bien à votre subconscient qui s'en imprègnera d'autant mieux.

Le rôle des objets familiers dans notre comportement

Je vais vous raconter une anecdote, un souvenir qui m'a beaucoup frappé. Ma grand-mère a vécu très solitaire toute sa vie. En effet, mon grand-père, par son métier, devait toujours voyager, et la laissait seule les trois-quarts du temps. Lorsque nous allions lui rendre visite, elle se plaignait toujours de cette solitude forcée, et nous racontait comme cela lui pesait. Elle vivait recluse toujours dans l'attente... Je ne dis pas qu'elle ne faisait rien en « attendant » ! Non, comme toutes les mères québécoises, elle s'occupait beaucoup et travaillait dur.

Ma grand-mère est décédée et mon père a hérité, à l'époque, de certains meubles, et en particulier d'un tableau. Je l'ai retrouvé un jour chez mes parents ; c'était un tableau qui avait été offert à ma grand-mère le jour de son mariage. Il resta quarante ans accroché dans le salon de sa maison. Il représentait une femme assise sur un rocher, l'air morose, attendant son mari matelot.

Je ne vais sûrement pas affirmer que la présence de ce tableau a fait que mon grand-père s'est absenté aussi souvent, et qu'il fut le grand responsable de la vie solitaire de ma pauvre grand-mère ! Il est évident que ce tableau n'a pas été l'inspiration de leur mode de vie ; cependant, je n'ai pu m'empêcher de faire un rapprochement entre cette image très négative, et passive, et la vie de ma grand-mère. Je me suis dit que voir ce tableau chaque jour, pendant quarante ans, n'a certainement pas stimulé ma grand-mère. J'imagine qu'elle s'est imprégnée pendant toutes ces années de cette image d'attente et de frustration.

L'image était une suggestion constante qui n'a sans doute pas contribué à améliorer la situation. Si cette anecdote n'est pas une preuve en soi, elle m'amène cependant à vous souligner l'importance des objets dont nous nous entourons dans notre vie.

À l'inverse de mon exemple, vivre dans un cadre bien éclairé, habiter une maison dont les murs sont peints ou tapissés de couleurs vives, s'entourer de photos représentant des enfants, des paysages et des bibelots toniques qui symbolisent la beauté et le progrès, tout cet environnement gai et vivant a un effet considérable sur mon comportement. L'être humain réagit directement à son milieu. Observez-vous les jours de pluie. Comment vous réveillez-vous ? Êtes-vous aussi joyeux que lorsque le soleil brille et que vous vous faites réveiller par le chant des oiseaux ou le bruissement des vagues ?

Nous sommes très influençables. Il faut donc veiller tout particulièrement à notre environnement. Tous les enseignants, éducateurs et psychologues, tous les parents, tous les enfants savent inconsciemment le rôle que joue la décoration d'une salle de classe ou d'une chambre à coucher sur le « moral » de l'individu qui doit y vivre et également sur son rendement.

Placez un groupe d'enfants dans une salle de classe terne, grise, sans aucune autre décoration qu'un vieux tableau noir, sans musique et sans plantes, sans vie enfin ; il est évident que les enfants auront un comportement semblable à leur environnement. Placez ce même groupe d'enfants dans une salle peinte de couleurs vives, où les murs sont décorés de peintures et de photos gaies vous verrez que les enfants ont un « a priori » favorable, et qu'ils aimeront travailler dans cet endroit.

On sait grâce aux expériences d'un chercheur japonais, que les plantes sont elles aussi très « influençables ». On a réussi à enregistrer les messages que les plantes, cactus, légumes, fleurs, émettent dans des situations bien particulières. Le cri de la carotte n'a laissé personne indifférent ! Ces découvertes ont bouleversé la psychologie et la science du comportement.

Il est certain que nos réactions sont elles aussi fortement influencées par de telles données, et l'on ne peut plus agir de la même façon. Cela suscite un sentiment de respect et d'émerveillement face au monde qui nous entoure. Cela crée également un profond sentiment de relativité et contribuera peut-être à abaisser un peu l'orgueil humain. On dit souvent qu'une image vaut mille mots. En effet, l'image constitue le message clair et précis, synthétique par excellence. Pour revenir à l'importance de notre cadre de vie dans notre comportement, je rappelle ici les budgets consentis par les compagnies qui, pour aménager leurs bureaux, font appel à des équipes sophistiquées de psychologues, décorateurs et architectes. Le but est ici de rendre les employés plus productifs, en « soignant » en quelque sorte le moral des troupes !

Autre exemple très pratiqué et très rentable : les grands magasins se servent de fonds sonores qui poussent « inconsciemment » le public à acheter. Dans les hôpitaux et cliniques, on préférera des couleurs comme le vert ou le jaune car ce sont des tons relaxants et sereins qui incitent à l'optimisme et à la tranquillité, donc, modestement peut-être, à la guérison des patients. Les centres d'achats qui diffusent un bruit de fond savent ce qu'ils font. Ce « décor sonore » leur rapporte quelques millions de plus par an. C'est une magie très rationnelle.

La publicité

Au Québec, comme dans toute l'Amérique du Nord, nous avons une publicité télévisée très efficace et planifiée de main de maître. Ainsi, les publicitaires savent fort bien qu'on doit programmer une publicité de jouets ou de jeux non pas à midi, ou tard le soir, mais bien entre 4 et 6 heures de l'après-midi, heures auxquelles les enfants sont sortis de l'école et regardent leurs émissions favorites. De la même façon, les publicités de lessive, d'appareils ménagers et de produits domestiques ne sont pas programmées entre 4 et 6 heures de l'après-midi, car c'est le moment où traditionnellement la mère de famille s'occupe de ses enfants et prépare le repas du soir. Donc, pour elle, et rien que pour elle, ce sera le début de l'après-midi !

Et c'est très tard le soir qu'on vous invitera à déguster un succulent poulet à la broche que vous commanderez par téléphone ; ou bien ce sera une pizza. Chips, bière viendront vous rappeler combien vous avez soif (et chacun sait que le sel donne soif), ce qui fait deux raisons de se ruer sur sa caisse de bière, entre deux pauses au hockey ! Les sportifs de salon sont surexcités en suivant leur partie favorite, ils répondront donc fidèlement à l'appel, à l'invitation lancée sur l'écran. Cette bouteille toute embuée, qui fait un bruit sec en s'ouvrant, c'est exactement ce qu'il vous fallait. De plus, vous vous voyez à l'écran, car ces amis, télévisés, sont eux aussi en train de regarder la télé !

Ainsi, tout dégage de l'énergie, tout peut constituer une suggestion. Il s'agit d'être vigilant, et de profiter au maximum de vos propres ressources.

L'objet est un peu le reflet de notre personnalité. En effet, ce n'est jamais par hasard que nous choisissons tel ou tel vêtement. C'est parce qu'il correspond plus qu'un autre à ce que nous aimons, à ce qui contribue à notre bien-être. Lorsqu'on brûlait les sorcières, on brûlait tout ce qui leur avait appartenu, pour faire table rase. On croyait donc qu'elles avaient imprégné tout leur environnement. Cet exemple extrême montre en fait l'importance du rôle que viennent jouer les objets, symboliquement et matériellement, dans notre propre perception et dans notre compréhension du monde.

Quelle est la première réaction d'une personne qui n'en aime plus une autre ? Se débarrasser de sa photo, en la déchirant, ou en la brûlant. Faire disparaître cette trace, ce « concentré » symbolique d'une personne que l'on ne veut plus voir ni sentir. Inversement, lorsqu'on aime quelqu'un, on veut posséder sa photo, qui est un rappel de sa présence. Personne n'a chez soi la photo d'un ennemi, ou de quelqu'un de foncièrement antipathique. Par contre, nous aimons nous entourer de toutes les marques des personnes, des paysages, des lieux que nous aimons, parce qu'ils nous procurent plaisir et joie.

J'attire ici votre attention sur le fait que vous vivrez mieux dans des meubles neufs. Ce n'est pas pour vous inciter à la dépense, c'est pour la raison que j'ai déjà évoquée. Vous devez vous-même imprégner vos objets de votre propre champ magnétique.

Une phrase des Écritures dit : « Lorsque tu te maries, quitte ton père et ta mère. » Ceci ne signifie pas qu'il faille ignorer totalement ses parents, ne plus jamais les voir, et couper définitivement les ponts avec eux. Cela veut dire en fait que c'est le moment de l'autonomie non seulement physique, mais psychique. Je décide de vivre ma vie, et je dois penser par mes propres moyens. Ainsi, les préjugés de mes parents, tout leur bagage, ne doit pas être un poids ni une entrave à la réalisation de ma propre vie. Les jeunes couples qui commencent leur vie commune sur les matelas de leurs parents, de leurs tantes ou de leurs beaux-parents partent selon moi avec un sérieux handicap.

Nous avons vu combien les objets étaient imprégnés magnétiquement. Ainsi, en dormant dans le lit de tante Adèle ou de papa et maman, vous reposez sur plusieurs années de frustrations, de soucis, de pensées qui ne sont pas les vôtres. Allégez-vous psychiquement et physiquement, cela va de pair. Je vous suggère, non de mettre sur le trottoir votre héritage et vos souvenirs, mais de commencer raisonnablement par de petits objets et traces de votre passé qui ne sont pas nécessaires à votre plaisir quotidien. Les vrais souvenirs, bien sûr, se trouvent dans la tête et dans le coeur. Il n'y a rien de répréhensible à conserver de « vieilles » choses, elles sont pleines de charme, mais trop souvent, elles sont chargées négativement, et brouillent de toutes façons votre propre magnétisme. Sans tomber dans le fétichisme et la superstition, il est sain que vous choisissiez vous-même votre environnement, et qu'il soit le plus neuf possible.

Pour les tableaux, portraits et photographies représentant quelqu'un de précis que vous connaissez, soyez conscient de la charge magnétique que véhiculent les images. Objets, images, lieux sont *pleins* de souvenirs de toutes sortes. Les personnes en sont elles aussi pétries, ce sont des émettrices d'ondes plus ou moins compatibles avec les vôtres.

L'enfant adore le neuf. On n'a jamais vu une petite fille de 5 ans se passionner pour des jouets d'antiquaire ! Certains enfants détestent une photo qui se trouve dans leur maison ou chez des parents. Il existe aussi des cas où l'enfant est littéralement fasciné par une photo, et il ne supporte pas qu'on y touche. Comment expliquer ces réactions parfois violentes ? Tout simplement par le fait que l'enfant sent inconsciemment les ondes plus ou moins bénéfiques qui se dégagent d'une photographie. Il n'est pas en mesure de l'expliquer rationnellement, mais il fait comprendre par son attitude qu'il aime ou non une photographie.

Nous sommes donc profondément influencés par les objets, les gens, les situations qui font notre monde, notre entourage, notre quotidien. Je revoyais un jour de vieilles photos de mes parents et grands-parents. Je suis toujours surpris lorsqu'on me rappelle que ces personnages à l'air austère, tout habillés de noir et de gris, n'avaient en fait que 20 ans ! Les objets, les vêtements qui composent notre quotidien ne sont pas « innocents ». Ils correspondent à des états d'esprit et de vie bien précis qui nous influencent considérablement. Par contre, des hommes et des femmes de 60 ans et plus qui s'habillent en jeans et en T-shirts font beaucoup plus jeunes que leur âge. Habillez-vous de couleurs vives, et vous aurez tout de suite l'air plus enjoué. La couleur est un élément très influent de notre comportement et de notre caractère, car elle nous conditionne.

Jean n'était pas en forme

Au cours des sessions que je donnais l'an passé au Québec, j'appris que Jean, un de mes étudiants, avait perdu son père trois mois auparavant. Celui-ci s'était suicidé, et Jean en était très affecté, car il vouait une véritable adoration à son père, et restait sous le choc. Comme il était fils unique, il hérita des effets de son père, vêtements, bijoux, bibelots, meubles. C'est donc au cours de notre discussion que je compris que mon ami vivait parmi les objets de son père décédé. Je continuai à le faire parler et je lui demandai de m'expliquer pourquoi, lui qui semblait équilibré, avait-il tant de peine à se remettre de ce décès. Bien sûr, il aimait beaucoup son père ; mais lorsque j'appris qu'il portait ses vêtements, qu'il vivait dans les mêmes meubles, qu'il portait jusqu'aux bijoux de son père défunt, je lui dis qu'il devait se débarrasser immédiatement de tous ces objets : ils étaient très néfastes, car chargés négativement du désespoir de son père.

Les rayons X

On sait à quel point les rayons X dégagent une forme d'énergie qui peut être dangereuse pour une personne exposée en abondance. Une fois de plus, la science vient nous apporter une dimension de relativité. En effet, qui aurait jamais rêvé « voir » les os, les viscères, les poumons, au siècle passé ?

Ainsi, si certaines affirmations vous semblent insolites, comme par exemple le fait que des objets peuvent influencer négativement un individu sans qu'il s'agisse de superstition, ne les repoussez pas pour autant.

Donc, les radiations sont invisibles et leurs effets peuvent prendre plusieurs mois à se manifester. Il en est des pensées comme des rayons. Elles sont invisibles et peuvent être très chargées soit négativement soit positivement. L'étudiant dont je parlais était littéralement accablé par la charge négative dont étaient imprégnés les effets de son père. Cet amoncellement, cette accumulation d'énergie négative le rendait littéralement malade.

On peut contrôler l'énergie psychique, comme n'importe quelle énergie. Prenons le cas d'un malade gravement atteint. Tous les médecins, tous les spécialistes de la santé et des soins vous diront que si le malade s'accroche à la vie, s'il désire vraiment s'en sortir, il y parviendra. C'est au moment précis où, dans la majorité des cas, le malade lâche prise, donc ne veut plus lutter, qu'il meurt. Le mois dernier, j'ai rencontré à Matane, un chirurgien, qui avait refusé d'opérer des malades. Il disait que des patients ne lui semblaient pas assez optimistes, assez en forme avant l'opération, et qu'il préférait la remettre à un autre moment, pour permettre à ses clients de se remonter psychiquement et d'affronter l'opération avec plus de vigueur. Il considérait donc l'état psychique du malade comme déterminant dans l'issue de l'opération. Pour lui, le malade devait être absolument convaincu du bien-fondé de l'opération et être suffisamment fort avant l'intervention pour que celle-ci soit un succès total.

Un autre ami, chirurgien esthétique celui-là, m'a confié qu'il n'opérait jamais s'il ne se sentait pas d'abord en pleine forme et en confiance ! Il avait ainsi ajourné quelques opérations, attendant un moment plus propice. Tous les chirurgiens ne sont peut-être pas animés de cette conscience professionnelle !

Chapitre VII

Pratique de l'influence dynamique à distance

Je peux influencer les quatre mondes : humain, animal, végétal et minéral. Quand j'influence quelqu'un à distance, je projette un état. C'est la même structure de base que la télépathie : je programme, je structure mon imagination de la même façon, en respectant toujours la liberté des gens.

L'influence dynamique à distance se pratique généralement avec un accessoire, le plus courant étant une photographie de la personne. On choisit une photographie à cause de la fidélité de reproduction et aussi parce que toute photo dégage une essence magnétique, une énergie. La découverte du processus photographique Kirrian permet de photographier le champ magnétique d'un être humain, autrement dit son aura ou corps éthéré. Il en est de même pour le champ d'un animal, d'une plante ou d'un métal.

Pour être efficace, vous devez vous exercer chaque jour, environ un quart d'heure, et respecter cela pendant un mois consécutif. Vous projetez un état, et vous vous assurez de laisser la personne libre en lui souhaitant la santé. Pour ce faire, imaginez-la en bonne santé. Vous souhaitez des états constructifs aux personnes que vous désirez influencer tout en acceptant au départ qu'elles puissent rejeter ces influences. En effet, nul n'a le droit d'imposer à quelqu'un d'être heureux, prospère, riche ou en bonne santé, pas plus qu'on ne peut imposer la pauvreté ou la maladie à quiconque. Souhaitez aux gens ce qu'ils désirent, car en général, tout le monde désire l'harmonie.

Donc, vous prenez une photographie, ou encore du linge ayant appartenu à la personne. N'ayez crainte, vous ne vous lancez pas dans une cérémonie vaudou, vous n'allez envoûter personne ! Je précise cependant que les pratiques du vaudou sont très anciennes et que les sorciers se basaient sur des poupées en toile, en paille ou en bois à l'image de la personne qu'ils désiraient influencer. Précisons aussi que dans ces pratiques, l'influence était négative.

Pour reprendre les paroles du docteur Murphy, « la seule façon d'avoir quelque chose est de souhaiter aux autres de l'avoir. » Si je veux être riche, je souhaite aux autres la richesse. Si je veux être en bonne santé, je souhaite aux autres d'être en bonne santé. Si je veux être heureux, je souhaite aux autres le bonheur. Si je veux avoir un bon métier, je souhaite aux autres un bon métier.

Je suis toujours le reflet de ce que je donne et de ce que je suis. Voici une anecdote qui illustre bien ce propos. Le docteur Murphy rencontra au cours de ses voyages à Las Vegas un homme très riche qui lui confia avoir de gros problèmes. Au fil de la conversation, il apprit que cet homme avait un voisin propriétaire d'une maison close qui lui permettait d'aller déposer d'énormes sommes d'argent à la banque. En fait, ce qui ennuyait beaucoup le narrateur, c'était le côté immoral de cette fortune, et l'apparence enjouée du voisin. Lui, il agissait honnêtement et il avait des problèmes ; l'autre était malhonnête et bien dans sa peau. Le docteur Murphy lui dit que c'était là que résidait son problème. Toute l'énergie qu'il consacrait à juger, critiquer et condamner son voisin, tout le temps qu'il passait à se morfondre, à être ulcéré et profondément dérangé au fond de lui, étaient l'énergie et le temps qui lui manquaient pour s'occuper de ses affaires ! Le docteur Murphy conseilla à cet homme de laisser son voisin faire ce qu'il voulait et lui dit que les avocats et les juges s'en chargeraient bien, c'était leur profession.

Si je veux influencer quelqu'un de façon dynamique, je dois respecter les convictions intimes de la personne. Sinon, cela ne sera pas constructif. Inutile de vous dire que la première fois que j'ai dû souhaiter tout le bonheur possible à quelqu'un que j'aurais bien béni avec mes poings, j'ai trouvé cela une épreuve très difficile ! Quelqu'un qui m'avait fait beaucoup de tort, qui m'avait trahi et à qui je devais souhaiter que tout marche bien, c'était quasiment devenir un saint homme ! À force de pratique, les résultats se sont manifestés et j'affirme que cette méthode qui implique respect et tolérance a des effets très enrichissants par la suite. Le premier respect est celui que vous vous devez à vous-même.

Ainsi, vous vous ferez le plus grand bien en cessant de critiquer les autres, de les juger, de les condamner. Les critiques sont stériles, elles n'apportent strictement rien.

Elles sapent votre énergie. Dites-vous bien qu'à chacune de vos critiques correspond une critique à un autre niveau, qui est préjudiciable à votre existence. Vous les attirez en agissant ainsi. Prenons un exemple bénin en apparence, celui de la télévision. Combien de critiques faisons-nous à haute voix ou en pensée sur la coiffure de la présentatrice, l'image, la voix des acteurs, leur façon de s'habiller, leur accent, leurs yeux, leur sourire, etc. ? Ne perdez plus votre temps à faire ce genre de commentaires. Premièrement, vous parlez seul ; deuxièmement, vous devriez changer de chaîne, cela serait plus profitable. Vous ne changerez rien de ce qui vous ennuie en critiquant.

Combien de réflexions à bannir de votre vocabulaire, comme : « Si j'étais à sa place, je ne m'habillerais jamais comme ça ! » Vous n'*êtes pas* à sa place...

Je parle ici des critiques qui ne donnent rien à personne, et non des critiques constructives, qui permettent de faire progresser. Celles-ci doivent toujours être accueillies avec beaucoup d'attention et de joie.

Combien de conflits éviterions-nous entre parents et enfants, mari et femme, si chacun laissait l'autre vivre heureux à *sa* manière ! À la mesure de *ses* désirs ! J'ai moi-même fortement désiré voir mes parents heureux, mais à *ma* manière. Cela ne pouvait marcher. Prenez cette sage résolution : ne plus mettre dans la tête des autres ce qu'ils doivent penser de vous.

Je m'explique. Vous vous apprêtez à sortir. Vous êtes en train de vous habiller en conséquence, et vous dites par exemple : « Je ne crois pas que je mettrai cette robe, elle est trop chic, et les gens vont m'envier. » Merci pour eux, c'est exactement ce qu'ils feront si vous mettez cette robe, c'est vous-même qui le leur demandez inconsciemment et lorsque effectivement ils vous regarderont d'un air envieux, vous ne pourrez les en blâmer. L'illogisme de cela est que vous serez en plus furieuse de leur réaction, comme si vous n'étiez au courant de rien !

Dites à un enfant : « Ce que tu es bête ! », ou encore « Comme tu es maladroit ! », ou encore « Ça ne m'étonne pas de Roger, il casse *toujours tout* ! » Bébé ou Roger n'ont pas beaucoup de chance avec vous. Plus vous leur direz qu'ils sont incapables, plus ils réagiront pour se conformer à l'image que vous projetez d'eux, histoire au moins de soutenir leur réputation ! Faites une démarche personnelle, enrichissante. Chassez vos vieilles habitudes de pensée. Si vous avez à décider du vêtement que vous porterez, dites-vous : « Les gens vont être contents pour moi, car ma robe est très jolie. » Vous ne remarquerez même pas ceux ou celles qui ne seront pas « aux anges », vous verrez seulement ceux qui ont des sentiments constructifs à votre égard. Vous ne serez ainsi nullement choquée ou vexée par certaines attitudes. Votre regard, votre perception des autres sera transformée, car vous aurez au préalable acquis plus de confiance en vous. Ainsi, elles sont à bannir de votre vocabulaire les phrases du style : « À sa place, je n'oserai jamais », « Si j'avais su », « Si je dis ça ils vont penser que je suis stupide », « J'étais si sûre que tu allais me dire ça », etc.

Nous sommes au petit déjeuner, la personne qui prépare les oeufs demande à Pierre : « Comment veux-tu tes oeufs ? »

Pierre de répondre : « N'importe comment. »

Ou encore : « Que veux-tu pour ton petit déjeuner ? »

Réponse : « N'importe quoi. »

Prenez garde qu'on ne vous prenne au mot !

Savoir accepter les compliments

Vous venez de vous acheter un manteau, et une amie vous dit : « Quel beau manteau tu as ! » Vous répondez : « Oh, tu trouves ? » Honnêtement, avez-vous l'habitude de vous acheter un manteau horrible et qui vous va très mal ? Dites alors dans cette même circonstance : « Merci, moi aussi je le trouve beau. » C'est tout de même plus normal. Si quelqu'un vous dit qu'il vous trouve beau ou belle, gentil ou aimable, spirituel ou comique, ne dites pas : « Pas vraiment en fait », ou « C'est parce que vous avez trop bu. » Remerciez toujours la personne qui vous fait le compliment. Et n'oubliez pas de grâce le petit zeste d'humour qui fait passer doucement tant de vérités ! Pour préserver la vérité sans froisser personne, répondez à tout compliment avec un large sourire : « Merci, cela confirme ce que je pense ! »

Certaines personnes sont continuellement à la recherche du négatif, et bien entendu n'attirent que le négatif. Inversement si vous recherchez le positif et le constructif, il viendra directement à vous, sans effort.

Apprenez à devenir plus sélectif. Ne supportez plus les gens qui démolissent systématiquement tout et tout le monde. Évitez-les, car ils ne peuvent vous apporter aucune ressource, aucun plaisir, ne peuvent jamais vous faire progresser, mais plutôt régresser. Ils n'ont en somme rien à partager. L'amitié et l'amour ne signifient pas se faire détruire ou se taire toujours.

Lors d'une conférence que je donnais à Trois-Rivières, un ami vint me voir, pour me parler des problèmes qu'il avait avec ses parents. Il les aimait beaucoup, mais sortait de chez eux démoli et déprimé, tellement c'étaient des personnes critiques et destructrices. Leur vision déprimante et défaitiste de la vie faisait beaucoup de mal à cet ami qui ne savait quoi faire pour le leur faire comprendre sans les blesser. Je suggérai à cet homme de dire ceci à ses parents : « Je vous aime beaucoup et je reviendrai souvent vous rendre visite à condition que vous changiez votre état d'esprit, car je ne peux plus supporter votre attitude destructrice. » Deux mois plus tard, je le revis, la mine enjouée ; il me dit avec un grand sourire qu'il avait suivi mon conseil à la lettre et que ses parents, le premier choc passé, s'étaient beaucoup améliorés. Personne n'avait jamais osé leur dire cela, leur orgueil en fut froissé, mais ils aimaient profondément leur fils qui le leur rendait bien. Ainsi, les communications devinrent enfin agréables et enrichissantes.

Un ami me raconte l'histoire de son père

Histoire de mon père

Mon père, à 54 ans, ne cessait de se plaindre de son coeur, de son âge, de son obésité, de son foie, de sa retraite. Son propre père était décédé à l'âge de 52 ans, et il se faisait beaucoup de mauvais sang. État d'esprit qu'il nous faisait abondamment partager, à mes frères et à moi !

Un jour, lors d'une visite comme nous en faisions régulièrement mes frères et moi, nous avons décidé de lui parler franchement. Nous lui avons demandé s'il se souvenait de son état lorsque son père était mort. Il nous répondit qu'il en avait été très affecté. Je lui dis qu'il était seul à subir ce choc émotif, mais que s'il mourait, nous serions quatre à avoir beaucoup de peine. Je lui dis alors : « Papa, s'il te plaît, dis-nous très précisément si tu veux vivre ou mourir. Ça nous permettra de souffrir au minimum si tu veux vraiment mourir. Dis-nous tes projets, nous pourrons nous faire à l'idée de ta mort prochaine avec plus de facilité. Par contre, si tu choisis de vivre, nous allons t'aider du mieux que nous le pourrons, tu pourras retrouver ta forme, et ta bonne humeur. » Inutile de vous dire que cela fit un gros choc à mon père qui perdit du coup 25 kilos ! J'étais saturé des jérémiades de mon père, de son foie, de ses reins, de son coeur, de sa dépression. En lui rappelant que nous l'aimions beaucoup, et certainement autant qu'il aimait son propre père, cela l'aida à comprendre à quel point son attitude était égoïste et destructrice, non seulement pour nous, mais aussi pour lui !

Il s'agissait de faire des choix. Le mien était clair, net et précis : mon père ne gâcherait pas mon existence en entretenant un état de dépression et de culpabilité.

Tant qu'on n'est pas fixé sur sa vie, tant qu'on hésite, on est faible et sans défense. Gardons toujours notre pouvoir, ne le laissons jamais aux autres. Je me rappelle l'anecdote que me raconta un ami médecin. Il avait un bureau à Sherbrooke, et soignait une dame qui était continuellement en train de se plaindre, de geindre sur son sort. Il lui dit un jour : « Chère Madame, je ne travaille qu'avec des patients qui veulent guérir et vivre. Si vous ne changez pas de comportement demain, changez de médecin ! » Ces paroles eurent un effet radical !

Un proverbe dit : « La foudre laisse passer ceux qui savent où ils s'en vont. » Autrement dit, ceux qui ont fait un choix et qui s'y tiennent sont épargnés des catastrophes.

Personnellement, j'ai choisi de travailler avec des personnes indépendantes et autonomes. Automatiquement, j'ai le public que je mérite ! Je prends les moyens qu'il faut pour avoir un public indépendant. Je préviens toujours mes étudiants que mes cours sont destinés à des personnes persévérantes et solides. Je ne recrute pas des Tarzan, je m'intéresse seulement aux gens qui ont déjà fait une certaine démarche personnelle, et qui savent travailler. Étant donné que mon attitude, ma structure de travail et ma recherche sont solides, j'attire à moi des personnes qui sont en recherche constructive et qui veulent se découvrir et mieux se connaître.

Je pratique ainsi l'influence dynamique à distance, de façon très logique, car je démontre une fois de plus le principe souverain de l'action-réaction.

L'énergie psychique

L'énergie psychique est aussi appelée énergie spirituelle ou mentale. Cette sorte d'énergie peut être soit négative, soit positive. Elle est directement reliée à nos pensées et à celles des autres. On peut comparer le corps humain à une batterie motrice que l'on peut vider ou recharger d'énergie. On garde son énergie en créant des circuits fermés. Cela est probant dans certaines postures propices à la détente, la relaxation et la créativité mentale, car le cerveau reçoit de l'énergie, et cette énergie rend la pensée puissante.

Plus je me nourris sainement, plus mon état de santé s'améliore. Mieux je nourris mon psychisme, plus ma vie est constructive. L'être humain a un potentiel créateur. La nature est un immense réservoir où s'emmagasine continuellement l'énergie psychique. Cette énergie se transfère, comme le sang, par transfusion. J'ouvre ici une parenthèse sur l'image tout à fait folklorique du vampirisme ; ce n'est pas pour vous entretenir de Dracula ou des recettes que font les films d'horreur au « Box Office » ; c'est pour vous parler du phénomène que l'on appelle le vampirisme psychique. Dans la légende, les vampires frappent toujours à minuit. Si l'on transpose la légende dans le domaine psychique, on voit que c'est pendant son sommeil, donc, comme nous l'avons vu, au moment où la réceptivité cérébrale est optimale, que l'individu se fait « vider » psychiquement parlant. Il est des personnes extrêmement négatives qui vident littéralement le psychisme des autres. Il existe aussi un phénomène de vampirisme psychique collectif. C'est la grande « maladie » des personnes en vue, acteurs et actrices, personnages politiques, chanteurs ou chanteuses. La nuit, des millions de personnes rêvent de ces célébrités. Elles se les accaparent psychiquement, à moins que la « cible » ne se soit au préalable protégée mentalement de toutes ces agressions de l'inconscient. Cela est particulièrement vrai en ce qui concerne les fantasmes sexuels des spectateurs concernant leurs vedettes préférées. Ces dernières sont convoitées par une telle foule de « vampires » qu'il est très courant qu'elles soient des personnes frigides ou impuissantes. Ainsi, la personne cible est véritablement un symbole sexuel, et une épave. Sans verser dans les grands et petits potins des revues cinématographiques, on sait que la majorité de ces célébrités font dépression nerveuse sur dépression nerveuse, se marient de quatre à huit fois, bref, sont des personnes instables émotivement. Les suicides sont fréquents et j'affirme qu'il y a une relation directe entre leur état psychique instable et leur position « au sommet » dans notre société justement nommée de consommation !

L'énergie psychique et ses transferts

L'énergie psychique est reliée à l'énergie cosmique, qu'elle soit lunaire, solaire ou astrale. Les transferts dont je vais vous parler ici sont les applications des effets de l'énergie psychique sur la matière. Je prendrai l'exemple de l'eau, que l'on peut « bénir », en d'autres mots « énergiser ». L'eau bénite, l'eau « de Pâques » ne se corrompt jamais, et on peut la conserver intacte pendant des années. La fête de Pâques est mobile, mais arrive toujours au premier équinoxe de la lune du printemps. On dit que le meilleur moment pour recueillir cette eau se situe avant le lever du soleil, entre minuit et cinq heures du matin. L'eau de Pâques est réputée pour être « énergisée », avoir des propriétés curatives et régénératrices. On peut dire que les grands-mères du Québec y croyaient comme à une superstition, et que les propriétés de l'eau de Pâques sont plus folkloriques que réelles. En fait, nos grands-mères ne savaient pas expliquer ce phénomène, tout en le défendant, ce qui a fait dire qu'il s'agissait justement de « remèdes de bonnes femmes ». À notre époque blasée, il semble que nous y revenions par la petite porte de la Nature... Soyez rassuré, l'eau de Pâques a été analysée en laboratoire et l'on a mis au jour de réelles propriétés curatives.

Voyons quels sont les gestes du prêtre qui bénit de l'eau. Bénir est, nous le savons, le contraire de maudire. Cela signifie attirer l'énergie divine. C'est en fait « énergiser ». Le prêtre fait le signe de croix qui est un symbole d'harmonie et d'équilibre des polarités négative et positive, du *yin* et du *yang* si vous voulez. Il dit : « Je te bénis, au nom du Père, du Fils, du Saint-Esprit, amen. » Pourquoi ces paroles, pourquoi ces gestes ? Considérons l'énergie psychique au même titre que l'énergie électrique, contrôlable et canalisable.

L'eau est un élément facile à « énergiser ». C'est un conducteur idéal. Les propriétés psychiques qui nous sont propres se retrouvent à une autre dimension dans la nature. Le prêtre en prononçant ces mots fait passer l'énergie divine dans l'eau. Certaines personnes réussissent à déplacer des objets et à faire toutes sortes d'expériences qui peuvent sembler très bizarres pour les profanes ! Vous pourrez si vous le désirez vous documenter sur ce sujet en consultant le livre déjà cité *Fantastiques recherches en parapsychisme*. Par la seule concentration psychique, on peut influencer la matière. Exercez-vous dans le plus grand secret à « énergiser » un verre d'eau. Placez-le dans un endroit connu de vous seul. Allez le voir deux semaines plus tard.

L'énergie des pyramides

Il existe de nombreux livres sur le sujet. Je rappelle brièvement ici quelques expériences intéressantes à faire. Placez un verre d'eau sous une pyramide. Cette structure dégage, cela est prouvé, une énergie psychodynamique aussi puissante que celle de nos pensées. Placez une boulette de viande crue, elle se déssèchera sans pourrir.

Apprenez à être constructif. Travaillez chaque jour. Le seul fait de faire de telles démarches et de telles expériences est en soi bénéfique et constructif ; vous pouvez imprégner toute matière de votre état d'esprit. Tout ce que vous touchez peut s'améliorer.

Dans le livre *L'homme et les impondérables*, il est fait mention des propriétés curatives de l'eau bénite. Boire cette eau facilite grandement la régénération des cellules et des tissus.

Lorsque dans une église on fait brûler un cierge, il s'agit du même principe de transfert d'énergie psychique. Vous émettez une prière, qui est une pensée constructive, un souhait si vous voulez, vous en imprégnez ce bâton de cire qui en brûlant propage votre pensée dans les airs. Même chose pour l'encens.

Entourez-vous de personnes qui ont confiance en vous. Il est bien sûr crucial de vivre ou de travailler avec des gens qui ont des vues identiques sur la vie, une conception et une attitude semblables. Il ne s'agit nullement de faire systématiquement les mêmes choses, de faire du mimétisme. Il s'agit d'unir le plus possible ses forces psychiques, voire physiques.

Programmation dynamique

Il faut toujours « jouer le jeu » de la façon la plus concrète possible. Vos résultats seront non moins concrets. Je vous propose ici la « méthode du calepin ». Chaque jour, écrivez la réalisation de votre désir de la façon suivante :

— après avoir inscrit la date, écrivez dans ce calepin quotidiennement, et sans sauter une seule journée, votre programme.

Choisissez des mots très constructifs, car nous l'avons déjà vu, les mots ne sont en rien innocents, ils sont au contraire chargés de sens. Si par exemple vous avez des problèmes d'ordre cardiaque, écrivez : « Au nom de Dieu, mon coeur se renforce de plus en plus. » Si vous ne croyez pas en Dieu, ou si du moins ce terme vous gêne, invoquez l'Énergie créatrice, ou l'Harmonie infinie. Ne vous court-circuitez pas en écrivant que votre coeur est en excellente santé si vous savez fort bien que vous venez de faire un infarctus. Rappelez-vous que votre affirmation ne doit jamais être en contradiction avec ce que vous vivez ou vos convictions. Par contre, en affirmant que votre coeur s'améliore de jour en jour, vous ne créez aucun conflit, ni au niveau émotif, ni au niveau logique. Je peux programmer sur mon calepin que mon statut financier s'améliore chaque jour. Que mon travail est de plus en plus enrichissant. Que mon compte en banque grossit de plus en plus. Il est crucial d'écrire la réalisation affirmée de votre souhait de façon précise et déterminée. Comme pour l'hypnose, comme pour l'auto-suggestion, soyez très précis, dans les moindres détails. Inscrivez exactement comment les choses doivent se passer. Plus la visualisation est précise, détaillée, plus vous avez de chance de réussir.

— Autre formulation : « Parce que je le mérite, j'ai la santé, la richesse, un bon métier, etc. »

Si vous voulez influencer quelqu'un à distance, utilisez les mêmes termes : « Au nom de Dieu, ou au nom de l'Énergie créatrice infinie, j'affirme que Jacques ou Nathalie est en parfaite santé. J'affirme que son caractère s'améliore de plus en plus chaque jour. J'affirme que son coeur va de mieux en mieux chaque jour », etc.

Les conséquences

Si donc vous programmez du bonheur, de l'amour et de l'abondance, préparez-vous à vivre de grands changements dans votre vie ! Invoquer l'énergie ou le pouvoir créateur amène bien entendu des états différents de votre quotidien. Appelez cela la chance, si vous voulez. Cette chance vient toujours à des moments très inattendus. En général, elle passe à des moments qui ne vous conviennent pas, parce qu'elle vient bousculer votre routine. Cela n'est pas un hasard et il faut que cela soit ainsi, sinon vous n'en prendriez jamais conscience. Nous savons bien que tous les grands changements de notre existence, que toutes nos « mues » psychiques nous dérangent profondément. Nous avons tous connu de ces moments de flottement intérieur où nous sommes irritables, timorés, « insécures ». C'est un bon signe, c'est le signe que se prépare un changement profond et véritable dans notre être.

Tous les gens qui suivent mes conditionnements, mes sessions (que ce soit en cours du soir ou en fin de semaine intensive, séminaires, etc.) ont eu, d'une certaine façon, l'audace d'y consacrer du temps et de l'argent, tout comme vous qui avez acheté ce livre. Ayez donc l'audace de programmer que cet argent-là vous reviendra de façon inattendue. Lorsque je mets de l'essence dans ma voiture, je ne dis pas que je dépense de l'argent, mais que je l'*investis*. Le terme d'investissement évoque immédiatement un retour, une richesse qui s'accumule, de l'argent qui rapportera avec le temps. Mes investissements sont protégés. Chaque jour je fais un programme qui se lit ainsi : « Au nom de Dieu, toutes mes transactions financières sont divinement protégées et gouvernées pour mon bien et celui de mon entourage. » Automatiquement, tous les investissements que je fais ont un retour harmonieux.

Vous ne vous videz pas, vous vous remplissez. L'investissement n'est pas seulement financier. Il concerne aussi le temps. Ne soyez donc pas impatient, commencez tranquillement votre transformation. Vous ne changerez pas de maison ou de situation du jour au lendemain. Sachez être simple et logique. Le temps deviendra votre meilleur ami.

Voici une anecdote qui illustre ce propos. Avant les fêtes, je travaillais avec beaucoup de gens au Québec. Je désirais que l'on congédie une personne très négative de nos entreprises. Une voix me dit clairement : « N'enlève pas l'ivraie qui pousse à côté du blé, tu risques de le déraciner en même temps. » Cette phrase me parvenait très clairement et à plusieurs reprises. Ce n'était pas non plus un hasard. Lorsqu'on se conditionne comme je le fais, le subconscient envoie ses messages ! C'est, si vous le voulez, l'intuition qui s'exprime. Il faut donc la suivre. C'est ce que je fis. Je n'ai pas congédié cette personne au moment où je le voulais. Je n'ai pas eu à le faire, car elle a pris congé de son propre chef. Ainsi, je n'ai pas risqué de blesser moralement cette personne, ce qui est toujours un risque, et ce que je ne souhaitais pas.

De cela, je peux conclure que la programmation psychique contribue à attirer véritablement les ondes positives, les ions positifs, les pensées constructives. À force de pratique, cette créativité mentale se développe et constitue une ressource qui crée en quelque sorte les circonstances favorables à mon épanouissement. Ce processus d'amélioration est vrai de toute technique. Un enfant qui écoute de plus en plus de musique développera de plus en plus son oreille, comme on dit.

J'ai souvent répété les expressions « jouer le jeu », « faire comme si » ; cela est une technique de base. Elle n'enlève rien au sérieux des résultats, des conséquences. Lorsque vous décidez, de votre propre initiative, de pratiquer la pensée constructive, vous vous engagez et vous devez donc vous attendre à obtenir des résultats. Les transformations que j'ai évoquées sont de tous ordres : difficulté parfois de supporter ce que l'on a si longtemps enduré, meilleure compréhension des êtres, prise de conscience que chacun a sa sensibilité et que transformer votre perception de vous-même et par conséquent des autres est déterminant sur votre pouvoir concernant les états et situations de votre vie.

La programmation sur cassettes

Il existe plusieurs sortes de programmation sur cassettes. On distingue la programmation d'ordre didactique : vous voulez apprendre une langue ou une technique, vous écoutez votre « cours » pendant votre sommeil ; ensuite vient la programmation d'ordre purement suggestif : vous désirez réaliser certains souhaits bien personnels, trouver certaines solutions à vos problèmes, etc. ; enfin, la programmation d'ordre thérapeutique : les suggestions vont dans le sens de votre guérison ou de la cessation d'une habitude que vous estimez dommageable à votre santé physique et/ou mentale.

Nous l'avons vu au chapitre IV qui traite des niveaux de réceptivité du cerveau : c'est pendant notre sommeil naturel que notre subconscient absorbe littéralement le mieux les suggestions qui lui sont offertes. Les résultats obtenus sont d'autant meilleurs.

On appelle « hypnopédie » l'ensemble de ces conditionnements effectués à l'aide d'enregistrements écoutés pendant le sommeil. Je considère que cette méthode est une des plus puissantes qui existent. Elle est aussi, par son utilisation simple et pratique, la plus contemporaine et la plus efficace, la mieux adaptée à notre vie moderne.

Tout conditionnement, toute suggestion est efficace à son maximum lorsqu'on la répète de nombreuses fois. Le principe, le processus de répétition, sous-tend n'importe quelle forme d'apprentissage : des gammes en musique, aux exercices physiques, à la pratique d'une langue, on sait bien que le temps et la persévérance sont les conditions *sine qua non* de toute réalisation physique, mentale, artistique ou philosophique. Voyons maintenant l'ancêtre de cette technique de suggestion, et son impact.

Il y a des milliers d'années, existaient des temples appelés « temples de la guérison ». Lorsque les gens souffraient d'un mal mental ou physique, ils allaient vivre dans ces temples. Ce qui caractérisait ces lieux était la répétition, 24 heures sur 24 de chants, de mantras, de prières, de paroles bien particulières, prononcées par des moines qui se « relayaient » au fil des heures. Pendant plusieurs jours consécutifs, les malades s'imprégnaient de ces paroles et de ces chants, et ressortaient des temples régénérés à tous points de vue.

Ces temples existent toujours, principalement en Orient. Moins exotiques sont les monastères où le chant grégorien remplace les mantras. Il s'agit cependant du même processus de répétition, qui a des vertus incantatoires et thérapeutiques. J'ai déjà traité du principe de la méditation, qui « écarte » d'une certaine façon la dimension psychique de l'individu.

Les cassettes dont il est ici question sont des enregistrements qui peuvent, grâce à la technique de certains dispositifs, « jouer » plusieurs heures d'affilée pendant le sommeil naturel. En prenant conscience que le subconscient s'imprègne de *tout* ce qu'on lui présente, et à la *vitesse* à laquelle on le lui présente, on a pu créer des conditionnements de plus en plus efficaces. Les Américains ont suivi les Russes dans ce domaine. Il y a une cinquantaine d'années, des savants russes ont expérimenté la suggestion pendant le sommeil. Pendant la dernière guerre mondiale, cette découverte fut employée très négativement, et l'on fit subir aux ennemis des lavages de cerveau. Les individus qui subissaient ce traitement de choc étaient robotisés, lavés de leur personnalité et conformes à la programmation qu'on leur infligeait. Constructivement employées, ces méthodes d'orientation font faire de grands progrès aux individus.

Ici comme ailleurs, il n'y a pas de miracle ni de magie. Il ne suffit pas de déclencher sa cassette avant de s'endormir pour se réveiller trilingue, chef d'entreprise ou mathématicien génial. Il faut d'une part se servir des enregistrements sur cassettes comme base de l'apprentissage, et d'autre part pratiquer pendant le jour ce que contient le conditionnement.

La nuit, vous nourrissez votre subconscient, et le jour vous vous exercez. Là encore, il s'agit de bon sens et d'équilibre. Les durées ou temps d'écoute varient également suivant qu'il s'agit d'un cours enregistré ou d'une cassette de relaxation par exemple. On suggère de ne pas dépasser trois heures par nuit pour l'apprentissage d'une langue et les périodes se répartissent ainsi : en estimant que vous vous couchez à minuit, vous écoutez votre cassette de minuit à 1 heure 30, et de 5 heures 30 à 7 heures, heure supposée de votre réveil. Pour une cassette de relaxation, on peut dépasser assez largement cette durée.

L'hypnopédie a en effet une efficacité directement proportionnelle au nombre de répétitions. Cette technique a en outre l'énorme avantage de ne pas empiéter sur votre temps dit actif.

Il existe deux types d'enregistrement sur cassettes. Le premier est l'enregistrement d'une voix, perceptible à l'oreille et dont vous fixez l'intensité selon votre goût au moment où vous vous couchez. En général, la voix a la force d'un murmure. Le second type d'enregistrement est inaudible. Il est enregistré sur fond musical, et vous ne percevez que la musique. Cette méthode rejoint l'image subliminale dont j'ai déjà parlé et elle est couramment employée en thérapie, et aussi dans les grands magasins où l'on vous « dissuade » sur fond musical neutre de voler la marchandise !

Nous avons mis au point, mes collègues et moi-même, des cassettes où un enregistrement d'une durée réelle de 30 minutes est réduit à 15 minutes. On peut ainsi réduire une bande d'une heure en 2 minutes. Une cassette d'une durée d'une demi-heure a l'impact d'un conditionnement de 15 heures consécutives. C'est un peu le microfilm auditif !

Devant cette fabuleuse technique, il s'agit de se montrer « à la hauteur », c'est-à-dire de s'impliquer mentalement et physiquement.

Chapitre VIII

Votre choix,
votre responsabilité,
votre réussite

Chacun de nous possède en lui non seulement le désir et l'envie de vivre constructivement, mais aussi le potentiel nécessaire à sa réalisation, sur les plans psychique, physique, émotif et financier. Tout être humain aime fondamentalement la vie et l'harmonie, et cherche l'énergie nécessaire, comme la plante cherche le soleil en se tendant vers lui.

En écrivant *La pensée constructive et le bon sens*, mon intention était de vous rappeler que la pensée est matière, que notre subconscient est un outil merveilleux, disponible, et qu'il faut l'utiliser convenablement. Pour ce faire, je vous ai soumis des techniques, non sans vous faire partager certains constats emplis de « gros bon sens ».

Ainsi, nous avons vu les divers phénomènes, tous basés sur la force du psychisme : visualisation, auto-suggestion, méditation créatrice, répétition, programmation des rêves, orientation du sommeil naturel, et les trois formes de l'influence à distance, ainsi que la télépathie.

Votre choix

Le choix vient généralement d'un constat, d'un désir de changement. Ainsi, vous vous êtes peut-être reconnu dans le portrait type du premier chapitre. Difficile à réveiller, de mauvaise humeur, n'explosant pas de joie de vivre ni d'une grande tolérance face aux autres...

Peut-être aurez-vous souri parfois en reconnaissant aussi vos propres paroles, vos propres critiques, « les phrases que tout le monde dit ».

Vous avez donc choisi, non pas de quitter les biens de ce monde et de partir très loin, le plus loin possible, mais de rester ici et de travailler *maintenant*, avec vous-même.

Penser constructivement, c'est pour la plupart d'entre nous se transformer. C'est ne jamais oublier le bon sens qui fait notre richesse psychologique, et qui constitue notre « garde-fou » si précieux ! C'est aussi conserver notre sens de l'humour, et savoir dédramatiser nos torts et ceux des autres. Faire le ménage, en quelque sorte !

J'ai tenu à vous avertir qu'en sachant cela, vous deviez aussi être conscient qu'il ne s'agit pas ici de vous vanter une technique ou un gadget miracle, qui ne vous engage rien, qui marche tout seul et qui apporte des résultats fantastiques instantanément. Les techniques exposées ici sont des instruments, des outils. Elles ont fait leurs preuves, à vous de faire les vôtres. Il ne suffit pas d'écouter passivement des cassettes de conditionnement en dormant pour se réveiller transformé ! Qui dit choix dit responsabilité. Il en est du domaine de la pensée constructive comme de tous les apprentissages que vous entreprenez. Beaucoup d'étudiants s'inscrivent en début d'année à des cours de yoga, de méditation transcendantale, de relaxation, de danse, etc. Ce qui représente beaucoup de temps et d'argent investis pour des résultats médiocres. En effet, la grande majorité de ces nouveaux élèves abandonnera en cours de route.

Comment expliquer ces abandons ? On invoque toujours les raisons classiques, à savoir :
— le professeur n'est pas bon ;
— les cours ne sont pas intéressants ;
— la classe n'est pas assez stimulante.

C'est l'« excusite » dont je parlais au début de ce livre. Essayons d'examiner de plus près ce qui peut se passer, en dehors des facteurs invoqués. Tout d'abord, il est possible que le professeur ne soit pas excellent, que la matière soit mal montrée, et que les autres étudiants ne soient pas du même niveau que vous. Mais la raison fondamentale est que vous préférez passer d'un cours à l'autre, plutôt que d'investir profondément et de consacrer le temps et l'énergie nécessaires. Un échec, un abandon sont toujours très néfastes psychologiquement. Ils entament la confiance de l'individu et lui font redouter toute nouveauté.

Vos alliés

La motivation

Vous avez observé les autres, vous apprenez à vous connaître mieux, vous savez donc qu'on peut véritablement changer la réalité et la prise que l'on a sur le monde en modifiant sa perception. C'est la pratique d'une autre « lecture », c'est un autre regard sur le monde et sur soi.

La pensée constructive est constitutive de notre être, et elle est aussi déterminante pour notre existence, notre comportement — toute la gamme de nos réactions.

Pensée constructive, mais pas utopie. Bon sens, mais sans rigidité. Nous réinvestir de nos pouvoirs.

J'ai évoqué l'expression « foi scientifique », car je trouve qu'elle rend très bien les qualités de la technique. « Foi, avoir la foi », cela évoque l'enfance, l'innocence, c'est être neuf, sans a priori, sans méchanceté, sans calcul ; c'est la disponibilité, la poésie, la certitude que tout est possible. « Scientifique », c'est le qualificatif qui parle à notre mental, c'est la raison, le sérieux, le quantifiable, le prouvable, le solvable. Notre mental est là pour nous donner des problèmes et les résoudre. C'est le mathématicien, le logicien, le technicien. « Scientifique » évoque aussi la sécurité et le normatif : j'ai les outils nécessaires (la raison, la logique, les preuves) pour démontrer que mon argument est acceptable. C'est notre meilleur « garde-fou », notre fourmi économe.

Allier la foi et la science est en fait la réunion et l'utilisation optimale des deux pôles qui nous constituent.

Le temps

Il tombe sous le sens qu'il faut consacrer un certain temps à toute pratique, à tout apprentissage, avant d'obtenir des résultats. Vous ne deviendrez pas yogi après quatre séances de yoga. La pensée constructive est plus qu'une technique, elle est une façon de vivre, une façon d'appréhender l'existence, de percevoir les autres, de se connaître, de communiquer, de réagir. Il n'existe donc pas de temps standard pour « réussir » les exercices divers. Les exercices et la façon que vous aurez de tester votre technique, ce sont les épreuves plus ou moins difficiles, les situations de tous ordres que vous pourrez mieux vivre. C'est un autre regard et véritablement une autre vie. Ce que vous acquerrez, vous ne pourrez l'oublier. Ce sont toutes les sensations de plaisir et de calme que vous ressentez après avoir innové, lorsque vous ne tombez pas à nouveau dans le vieux stéréotype de haine, de jalousie, de méfiance, de racisme. Vous avez progressé, en ce sens que vous ne retombez pas dans l'ornière de la facilité, de la médiocrité, de la critique : ainsi, vous travaillez sur vous, sur votre vie, toute votre vie. Ce n'est pas comme apprendre à monter à bicyclette. Un jour vous ne savez pas rouler, et le jour où vous savez, vous pouvez noter la date de votre réussite ! Avec la pensée constructive, vous devenez plus sensible, plus ouvert, plus réceptif à tout un monde qui, tout en peuplant votre quotidien, tout en étant tout près de vous, vous était inconnu.

La préparation

Comme le sportif, comme l'étudiant qui prépare ses examens, comme le nageur qui s'entraîne, préparez-vous correctement. La meilleure préparation dans ce domaine est de faire le vide mental, de faire taire les critiques, non violemment, mais en laissant la porte ouverte à la construction, au calme, à la clarté. C'est l'histoire de notre tonneau empli d'eau sale, que l'on va nettoyer en le remplissant tranquillement d'eau propre. Cette dernière arrivera avec le temps à remplacer l'eau sale.

Vous ne pouvez tricher avec vous-même. Vous ne pouvez prétendre que vos réactions sont constructives lorsque vous êtes en colère, que votre coeur bat la chamade, et que vous êtes d'une humeur redoutable. On ne se ment pas à soi-même. Ainsi, vous êtes votre propre juge, vous êtes aussi l'acteur et le spectateur. C'est un travail de responsabilité et de recherche continuelle.

Bien se préparer, c'est être réaliste, c'est être conscient qu'on ne devient pas une autre personne, mais qu'on s'améliore lentement. Il ne sert à rien de brusquer les choses. Il faut respecter son rythme. Le corps est le reflet de l'esprit. On dit que l'énergie est partout, en tant que principe. Elle est dans ce pot de fleur, comme dans cette maison, comme dans cet enfant qui court. On dit que l'on récolte ce que l'on sème. Or, la graine a-t-elle l'apparence du fruit ou du légume ? Dans le domaine de la pensée, la récolte est souvent longue à venir comme dans la nature. Le temps est nécessaire à la croissance et à la naissance, ou à l'extériorisation.

Le secret

Penser constructivement n'est certes pas appartenir à une société secrète ! Mais je veux attirer votre attention sur le fait qu'il est crucial pour votre réussite que vous agissiez en secret, dans la solitude, dès que vous faites une programmation, de l'influence à distance, ou que vous pratiquez la visualisation. Il s'agit en fait de garder toutes vos énergies, et de ne rien dévoiler de vos plans avant que vous n'ayez obtenu le résultat souhaité. Vous vous protégerez ainsi, premièrement des critiques, des sarcasmes et de toutes les pensées émises consciemment ou inconsciemment par des gens qui parfois vous aiment beaucoup, mais qui pensent à votre bien à *leur* façon !

Pour reprendre l'exemple du jardinier, il ne va pas déterrer ses graines pour montrer aux voisins ce qu'il va obtenir. Sachez donc travailler en secret, pour vous.

Il est vrai que dans le domaine de la pensée, il est parfois ingrat et frustrant de travailler, de se conditionner, d'écouter consciencieusement les conditionnements sur cassettes sans qu'une transformation radicale apparaisse pour autant. Il faut bien compter trois mois dans un programme d'un an pour « voir » réellement votre réussite. Lorsque vous travaillez ainsi, vous êtes en pleine gestation psychique. Vous sentez bien que ça « bouge » dans votre tête, mais vous avez du mal à vous imaginer la manifestation de votre pratique. La femme enceinte sait, quant à elle, que le bébé est là, dans son ventre, elle sait à partir du quatrième mois que l'enfant est bien vivant, car il lui donne des coups de plus en plus perceptibles. Le futur père, lui, a plus de peine à s'imaginer l'enfant, à le sentir aussi précisément que la mère. Lorsque nous travaillons dans le domaine de la pensée constructive, c'est un peu le même type de « paternité » que nous vivons. C'est de savoir, avec la raison et le bon sens, que nos suggestions atteindront leur but, sans savoir, sans sentir, du moins les premiers temps, ce que sera l'expérience de cette manifestation.

Si vous êtes motivé, après avoir observé convenablement vos réactions et les attitudes du monde qui vous entoure, si vous avez choisi, donc pris la responsabilité de vous engager dans une plus grande connaissance de vous-même et des autres, dans une exploration en profondeur de votre subconscient et de votre potentiel non encore utilisé, vous réussirez à améliorer grandement votre vie sur tous les plans. Vous aurez compris qu'il faut du temps, de l'amour, de la sagesse, du bon sens, bref qu'il faut cette fameuse foi scientifique pour que la réussite soit assurée.

Sachez que dans le domaine psychique ou spirituel, c'est au moment où le tunnel semble le plus obscur que la lumière, la clarté sont le plus proche. Autrement dit, c'est toujours lorsque vous pensez avoir toutes les raisons de vous décourager que le changement se fait, que vous laissez votre vieille peau définitivement pour une autre, neuve, souple, mieux adaptée à vos besoins. Toute période de transition est difficile, mais aussi exaltante. C'est un peu un stade d'adolescence, entre les caprices et les insécurités de l'enfance, et les aspirations, les désirs d'indépendance et de réalisation de l'âge adulte.

Sachez être un enfant résistant, correctement armé pour partir à la découverte. C'est ce que ce livre aura su, je l'espère, vous inspirer : le goût et la certitude de pouvoir vivre constructivement une riche aventure... la vôtre !

Table des matières

*Lithographié au Canada
sur les presses de
Métropole Litho Inc.*

Ouvrages parus chez

 le jour,
éditeur

COLLECTION BEST-SELLERS

COLLECTION ACTUALISATION

COLLECTION VIVRE

COLLECTION VIVRE SON CORPS

COLLECTION IDÉELLES

HORS-COLLECTION

Autres ouvrages parus aux Éditions du Jour

ALIMENTATION ET SANTÉ

ART CULINAIRE

DOCUMENTS ET BIOGRAPHIES

ENFANCE ET MATERNITÉ

Enfants du divorce se racontent, Les,
Bonnie Robson

Famille moderne et son avenir, La,
Lynn Richards

ENTREPRISE ET CORPORATISME

Administration et la prise, L', P. Fila-
trault, Y.G. Perreault
Administration, développement,
M. Laflamme, A. Roy
Assemblées délibérantes, Claude
Béland
Assoiffés du crédit, Les, Fédération
des A.C.E.F. du Québec

Coopératives d'habitation, Les, Mu-
rielle Leduc
Mouvement coopératif québécois,
Gaston Deschênes
Stratégie et organisation, J.G. Des-
forges, C. Vianney
Vers un monde coopératif, Georges
Davidovic

GUIDES PRATIQUES

550 métiers et professions, Françoise
Charneux Helmy
Astrologie et vous, L', André-Pierre
Boucher
Backgammon, Denis Lesage
Bridge, notions de base, Denis
Lesage
Choisir sa carrière, Françoise Char-
neux Helmy
Croyances et pratiques populaires,
Pierre Desruisseaux
Décoration, La, D. Carrier, N. Houle
Des mots et des phrases, T. I, Gérard
Dagenais
Des mots et des phrases, T. II,
Gérard Dagenais
Diagrammes de courtepointes, Lu-
cille Faucher

Dis papa, c'est encore loin?, Francis
Corpatnauy
Douze cents nouveaux trucs, Jeanne
Grisé-Allard
Encore des trucs, Jeanne Grisé-
Allard
Graphologie, La, Anne-Marie Cob-
baert
Greffe des cheveux vivants, La,
Dr Guy, Dr B. Blanchard
Guide de l'aventure, N. et D. Bertolino
Guide du chat et de son maître, Dr L.
Laliberté-Robert, Dr J.P. Robert
Guide du chien et de son maître, Dr L.
Laliberté-Robert, Dr J.P. Robert
Macramé-patrons, Paulette Hervieux
Mille trucs, madame, Jeanne Grisé-
Allard

LITTÉRATURE

Obscénité et liberté, Jacques Hébert
Oslovik fait la bombe, Oslovik
Parlez-moi d'humour, Normand Hudon
Scandale est nécessaire, Le, Pierre Baillargeon

Trois jours en prison, Jacques Hébert
Voyage à Terre-Neuve, Comte de Gébineau

SPORTS

Baseball-Montréal, Bertrand B. Leblanc
Chasse au Québec, La, Serge Deyglun
Exercices physiques pour tous, Guy Bohémier
Grande forme, Brigitte Baer
Guide des sentiers de raquette, Guy Côté
Guide des rivières du Québec, F.W.C.C.
Hébertisme au Québec, L', Daniel A. Bellemare
Lecture de cartes et orientation en forêt, Serge Godin
Nutrition de l'athlète, La, Jean-Marc Brunet
Offensive rouge, L', G. Bonhomme, J. Caron, C. Pelchat

Pêche sportive au Québec, La, Serge Deyglun
Raquette, La, Gérard Lortie
Ski de randonnée — Cantons de l'Est, Guy Côté
Ski de randonnée — Lanaudière, Guy Côté
Ski de randonnée — Laurentides, Guy Côté
Ski de randonnée — Montréal, Guy Côté
Ski nordique de randonnée et ski de fond, Michael Brady
Technique canadienne de ski, Lorne Oakie O'Connor
Truite, la pêche à la mouche, Jeannot Ruel
La voile, un jeu d'enfant, Mario Brunet

Imprimé au Canada/Printed in Canada